北海道の農業

AGRICULTURE IN HOKKAIDO 2020

北海道の農業　令和2年版　定価：本体価格 1,200 円＋税　送料：300 円
発行：令和2年11月1日　発行人：新井敏孝
発行所：株式会社北海道協同組合通信社
〒060-0004　札幌市中央区北4条西13丁目
TEL：011-231-5261　FAX：011-209-0534
印刷：岩橋印刷株式会社　IBSN：978-4-86453-074-3
表紙イラスト：阿部夕希子

北海道農業の特徴

北海道の総土地面積は、東北6県に新潟県を加えた面積より広く、それぞれの地域ごとに特色のある農業が展開されています。

道央地帯

　北海道の中央部から日本海に流れ込む石狩川水系に沿った上川盆地や石狩平野では、豊富な水資源と比較的温暖な夏季の気候を利用して、稲作の中核地帯が形成されています。また、札幌近郊、空知南部、上川では道外移出向けを中心とした野菜の生産が盛んなほか、日高の軽種馬、上川や胆振の肉用牛など、地域の特色を生かした農業が行われています。

道南地帯

　渡島半島と羊蹄山麓からなるこの地域は、平たん部が少ないため経営規模は小さいものの、道内では最も温暖な気候に恵まれ、集約的な農業が行われています。米が各地で生産されているほか、函館近郊では施設野菜団地が形成されており、後志の羊蹄山麓が畑作地帯、後志北部が果樹地帯として発展しています。

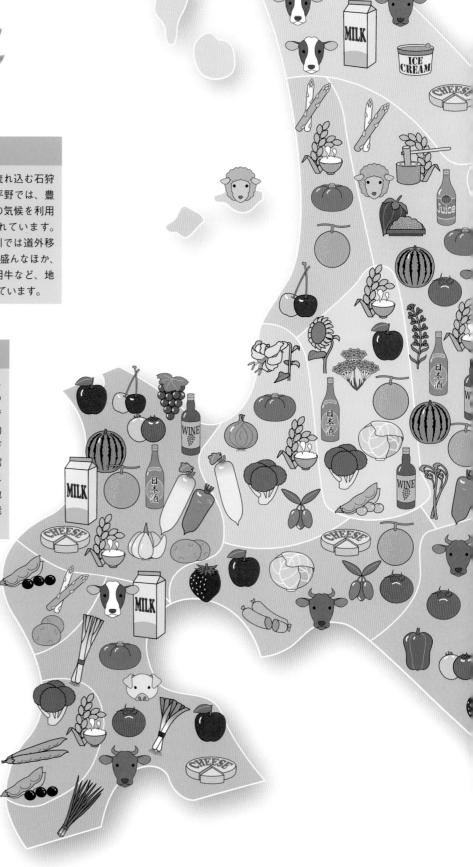

空知総合振興局　　□ 石狩振興局　　■ 後志総合振興局　　■ 胆振総合振興局　　■ 日高振興局
渡島総合振興局　　■ 檜山振興局　　□ 上川総合振興局　　■ 留萌振興局　　■ 宗谷総合振興局
オホーツク総合振興局　　■ 十勝総合振興局　　■ 釧路総合振興局　　■ 根室振興局

道東・道北（畑作）地帯

　十勝平野、北見、斜網を中心とするこの地域は、広大な農地を生かした大規模な機械化畑作経営が行われており、豆類、てん菜、馬鈴しょ、麦類を中心としたわが国の代表的な畑作地帯となっています。また、北見を中心とするたまねぎは、わが国最大の産地として道外に大量に出荷されています。

道東・道北（酪農）地帯

　根釧、天北を中心とするこの地域は、広大な丘陵と湿原を含む平たん地が大半を占めています。泥炭地などの特殊土壌が多く、気候が冷涼であることから、草地が中心となっており、EU諸国の水準に匹敵する大規模な酪農経営が展開されています。

生産量全国 No.1の主な農畜産物

小麦　65.3%
67.8万t（12.1万ha）

大豆　40.6%
8.8万t（3.9万ha）

小豆　93.7%
5.5万t（2.1万ha）

いんげん　94.8%
1.3万t（0.6万ha）

馬鈴しょ　77.1%
189.0万t（5.0万ha）

てん菜　100%
398.6万t（5.7万ha）

そば　46.2%
2.0万t（2.5万ha）

たまねぎ　62.1%
71.7万t（1.5万ha）

にんじん　28.6%
16.4万t（0.5万ha）

かぼちゃ　41.1%
6.6万t（0.7万ha）

スイートコーン
38.4%
8.4万t（0.9万ha）

だいこん
11.8%
15.7万t（0.3万ha）

生乳
55.6%
409.1万t（令和元年度概数値）
（80.1万頭）

牛肉　19.2%
9.1万t（51.3万頭）

軽種馬　97.7%
0.7万頭

資料：農林水産省「作物統計」「畜産統計」「食肉流通統計」「牛乳乳製品統計」、公益社団法人日本軽種馬協会「軽種馬統計」
　注：野菜は平成30年の数値
　注：生乳及び牛肉の「頭数」は飼養頭数、軽種馬は生産頭数

北海道農業の地位

北海道農業の特色

北海道では恵まれた土地資源を生かし、専業的で大規模な経営体を主体とする農業が展開されています。

北海道の本格的な開拓の歴史は明治2年の開拓使の設置に始まり、以来151年が経過しました。この間、冷涼な気象条件に対応した欧米の近代的な農業技術の導入や土壌改良などの努力が続けられてきました。

北海道は日本列島の最北端で温帯と亜寒帯の境に位置し、冬は積雪期間が長く、氷点下の日が続きます。

真夏でも蒸し暑さは少なく、日中は30℃を超えるときもありますが、夜は気温が下がり、この昼夜の温度差が質の良い農作物を生み出す要因にもなっています。また、冷涼な気候は病害虫の発生を抑え、クリーン農産物の生産にも適しています。

北海道の農耕地の約3分の2は特殊土壌（火山性土37％、重粘土21％、泥炭土8％）です。火山性土は道東、道南などに広く分布し、地力に乏しい傾向があります。重粘土は上川、空知、網走に多く分布し、粘性で緊密なため融雪期などに停滞水を生じやすく、また泥炭土は石狩川や天塩川など主要河川下流に分布し、過湿で通気性が不良です。このような特殊土壌を生産性の高い農地として利用するには、総合的な土地改良が必要であり、客土や排水条件の整備などが進められてきました。

北海道農業の地位

平成31年2月1日現在の北海道の販売農家戸数は3万5,100戸で全国の3.1％となっていますが、耕地面積は114万4,000haと全国の4分の1を占めています。令和元年の農畜産物生産量の全国シェアを見ると小麦、大豆、馬鈴しょ、生乳など多くの品目で全国一の生産量を上げ、広い農地を生かした低コスト生産が行われています。また、平成30年の農業産出額は1兆2,593億円

で、全国の農業産出額9兆1,283億円の13.8％を占めています。

31年2月1日現在の北海道の農業経営体当たりの経営耕地面積は28.5haと都府県平均2.2haの12.9倍、1戸当たりの乳用牛飼養頭数は都府県の2.3倍、肉用牛は4.4倍となっています。

また、農業所得を主体とする農家割合は都府県平均46.9％を大きく上回る93.2％、基幹的農業従事者に占める65歳未満の割合も58.7％と、都府県の28.5％を大幅に上回っています。

30年度のカロリーベースの食料自給率は、前年同様に全国第1位となりましたが、196％と前年度に比べ10ポイント減少しました。これは、天候の影響により、農作物の生産量が前年に比べ減少したことが主な要因となっています。生産額ベースの食料自給率は全国第4位と前年同様で、214％になりました。

◉ 農業産出額の推移

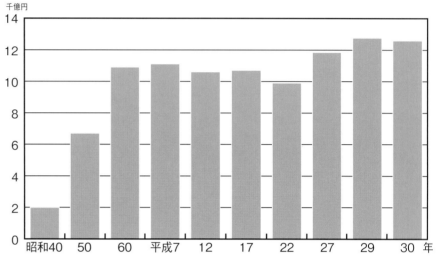

資料：農林水産省「生産農業所得統計」

◉ 主要部門の農業産出額構成比の推移

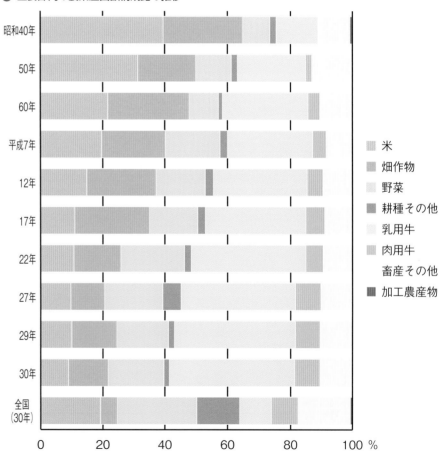

凡例：米／畑作物／野菜／耕種その他／乳用牛／肉用牛／畜産その他／加工農産物

資料：農林水産省「生産農業所得統計」
注：1)「乳用牛」には生乳、「畜産その他」の鶏には鶏卵、ブロイラーが含まれる
　　2)農業産出額については、平成19年から市町村単位から都道府県単位の推計に改めており、以降は同都道府県内の市町村間で取引される中間生産物は産出額に計上されない

販売農家戸数

全国 113万100戸

北海道 3万5,100戸

3.1%

乳用牛飼養頭数

全国
133万2,000頭

北海道
80万1,000頭

60.1%

資料：農林水産省「農業構造動態調査」（令和元年）、「畜産統計」（令和元年）

● 農業経営体当たりの比較

12.9倍

耕地面積
(北海道　28.5ha)
(都府県　 2.2ha)

1戸当たり乳用牛飼養頭数
(北海道　134.2頭)
(都府県　 58.5頭)

2.3倍

6.3倍

農業所得
(北海道　951万円)
(都府県　151万円)

資料：農林水産省「農業構造動態調査」（令和元年）、「畜産統計」（令和元年）、「農業経営統計調査」（平成30年）

● 農用地特殊土壌分布図

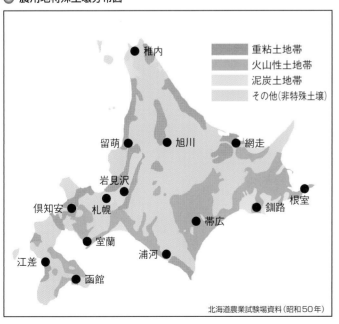

重粘土地帯
火山性土地帯
泥炭土地帯
その他（非特殊土壌）

稚内
留萌　旭川　網走
岩見沢
倶知安　札幌　　　　根室
　　　　　　釧路
帯広
室蘭
浦河
江差
函館

北海道農業試験場資料（昭和50年）

● 年平均気温の分布

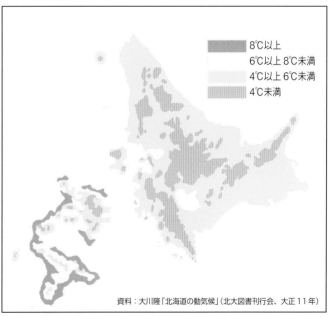

8℃以上
6℃以上8℃未満
4℃以上6℃未満
4℃未満

資料：大川隆「北海道の動気候」（北大図書刊行会、大正11年）

スマート農業

日本農業の現場では担い手の高齢化が急速に進み、労働力不足が深刻となっており、農作業における省力・軽労化を進めるとともに、新規就農者への栽培技術力の継承などが重要な課題となっています。そこで農林水産省は平成25年11月、ロボット技術やICT（通信情報技術）を活用して超省力・高品質生産を実現する新たな農業（スマート農業）を実現するため、「スマート農業の実現に向けた研究会」を設立しました。

スマート農業とは、GPS（全地球測位システム。人工衛星によって地球上の現在位置を測定する）を活用した自動走行システムやセンシング技術を活用した作物の精密管理、アシストスーツによる軽労化、除草ロボットなどによる自動化、作業ノウハウのデータ化など、幅広い内容が含まれています。

北海道においても担い手の減少や高齢化が進んでおり、北海道農業の将来を切り開くためスマート農業の推進に大きな期待が寄せられています。北海道では大型圃場で農作業する水田、畑作経営向けに人工衛星からの位置情報を使って作業経路を表示するGPSガイダンスシステムの導入が進められてきました。また、作業経路の保持を自動的に行う自動操舵（そうだ）装置は、経験の浅い運転者や夜間でも重複や欠落のない正確な農作業が可能で、作業者の疲労も軽減される効果が確認されています。しかし一方では、機器が高価で安定した位置情報の取得には電波受信環境の整備が必要なこと、トラクターや作業機械ごとに機器類の設定が異なり、使いこなすのが難しいなど、課題も少なくありません。

こうした技術の導入には、技術情報の取り組みや導入コストなどを地域全体で検討することが重要であるため、道は28年6月に団体、企業、個人を問わず参画可能な「北海道スマート農業推進協議体」を設置しました。200を超える法人、団体および個人会員にメールを活用し、情報発信を行ってきたほか、農協や市町村などの職員を対象とした研修や農業高校生を対象とした体験講座などを通じた人材育成、各種セミナーや地域懇談会における最新技術の情報発信などの取り組みを行っています。

スマート農業推進方針などの策定

国は農業者や企業、研究機関、行政などの関係者が共通認識を持って連携しながら、開発から普及に至る取り組みを効果的に進め、農業現場への新技術の実装を加速し、農業経営の改善を実現することを目的として、「農業新技術の現場実装推進プログラム」を令和元年6月に策定しました。

道はこうした動きを踏まえ、地域や個々の営農状況に応じたスマート農業を推進していく共通の指針として、2年3月に「北海道スマート農業推進方針」を策定しました。この方針では、地域の状況に応じたスマート農業技術の選択と営農技術体系の整理、農業者個々の営農状況に応じた効果的な導入方法の検討、情報通信網や農業生産基盤の整備などが必要であるとの基本的な考え方の下、技術情報の発信や人材育成など、7つの取り組み方向を示しています。

● 北海道スマート農業推進方針の取り組み方向

技術情報の発信	実証成果や技術開発の状況などを各種機会を通じ発信
人材の育成	コーディネートなどを担う人材育成研修などの実施。高校生や女性農業者などを対象とした研修教育などの充実
相談窓口の設置	普及センターに専門相談窓口を設置
導入コストの低減	各地の実証成果を踏まえた経済性の検証や各種助成制度の活用と共同利用などによる導入コスト低減の提案
技術の実証	各地の技術実証に対する支援。普及センターによる成果を活用した普及推進活動
農業基盤の整備	計画的な圃場の大区画化や排水対策、農道整備などの推進
情報通信環境の整備	スマート農業技術に応じた有線・無線それぞれの整備検討を支援。国の助成制度を活用した費用負担の軽減と地域計画づくりを支援

資料：北海道農政部作成

● 農業用GPSガイダンスシステムの出荷台数

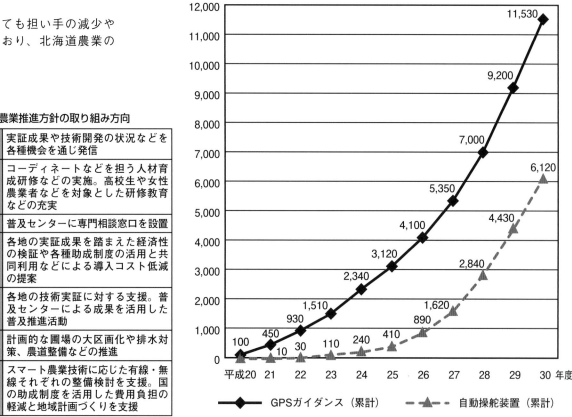

台

GPSガイダンス（累計）：100、450、930、1,510、2,340、3,120、4,100、5,350、7,000、9,200、11,530

自動操舵装置（累計）：10、30、110、240、410、890、1,620、2,840、4,430、6,120

平成20　21　22　23　24　25　26　27　28　29　30 年度

—◆— GPSガイダンス（累計）　--▲-- 自動操舵装置（累計）

資料：北海道農政部調べ（主要9社からの聞き取り）

スマート農業の社会実装の推進

スマート農業加速化実証プロジェクト

　令和元年度から道内5地区において、農水省の「スマート農業加速化実証プロジェクト」が行われています。岩見沢市と新十津川町では水稲、更別村と津別町では畑作物、中標津町では酪農に関する一貫体系について生産現場での大規模な技術実証が進められており、道は農業改良普及センターの栽培管理技術などの指導を通じて、このプロジェクトを支援しています。

　このほか、スマート農業技術を組み入れた営農技術体系を検討するため、道内4地区で「次世代につなぐ営農体系確立支援事業」を活用し、「産地営農体系革新計画」が策定されるなど、スマート農業の社会実装の推進に向けた取り組みが行われています。

■岩見沢市で合同視察会開催

　岩見沢では担い手不足や労働力不足問題への対策として、農業気象サービスや高精度位置情報などのICT技術を活用して農作業の効率化・省力化を図る、スマート農業の先進地域として全国に先駆けて普及促進に取り組んでいます。元年10月28日に岩見沢スマート農業コンソーシアムが「岩見沢スマート農業合同視察会」を開き、ロボットトラクターの公道走行を含む圃場移動など走行デモやスマート農業加速化実証プロジェクト対象圃場の見学、5Gを使った無人トラクターの遠隔監視制御デモなどを行いました。

公道を無人走行するトラクター

4台による協調作業

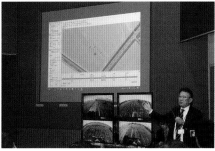

5G遠隔操作のデモンストレーション

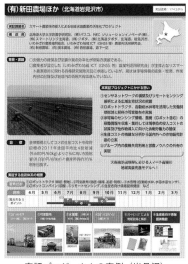

実証プロジェクトの事例（岩見沢）

令和元年度のスマート農業関連事業実施地区一覧

スマート農業加速化実証プロジェクト	岩見沢市（水稲）	新十津川町（水稲）	津別町（畑作）	更別村（畑作）	中標津町（酪農）
次世代につなぐ営農体系確立支援事業	滝川市（水稲）	蘭越町（水稲）	苫前町（畑作）	下川町（園芸）	―

人材育成研修の実施

　スマート農業技術のコーディネートとマネジメントを担う地域人材の育成を目的に、農業大学校において市町村・農業協同組合の職員を対象とした「ICT農作業機実践研修」を開催しました。

　また今後の北海道農業を担う農業高校生を対象とした「高校生スマート農業実践講座」を開催し、次世代の担い手育成に取り組みました。

農業高校生を対象に開き次世代の担い手を育成

担い手の動向

北海道の販売農家数は年々減少を続けており、平成31年（2月1日現在）は前年に比べ700戸減少し、3万5,100戸となりました。販売農家の基幹的農業従事者数も減少傾向にあり、31年（同）は8万1,900人で、前年に比べ2.4％のマイナスとなりました。17～31年の間で経営耕地規模別の販売農家戸数を見ると、50ha以上では275戸、100ha以上では695戸増加するなど、規模の大きい農家の割合が増えています。

北海道農業を担う主業農家

北海道農業は主業農家によって担われています。31年（同）の専兼別農家数を見ると、専業農家は2万2,700戸

（販売農家数の64.7％）、第1種兼業農家は1万戸（同28.5％）、第2種兼業農家は2,400戸（同6.8％）で30年に比べ、兼業農家の割合が高まりました。

販売農家のうち農業所得が主で、65歳未満、年間60日以上農業に従事する人がいる主業農家は2万4,900戸と販売農家全体の70.9％を占めています。北海道の主業農家率は都府県の19.2％を大きく上回っており、年齢階層別に見ると、65歳以上の層が全体に占める割合は41.4％で、30年に比べると1.5ポイント増加しており、高齢化が進行しています。

認定農業者の育成と確保

認定農業者制度は、農業経営基盤強化促進法に基づき5年にスタートしました。これは自ら計画的に農業経営の改善を図る意欲と能力のある農業者が5年後を目標に作成した経営改善計画を市町村に提出し、認定を受けるというものです。

認定農業者は低利の融資や農地流動化対策、経営安定対策など各種施策を集中的、重点的に受けます。北海道の認定農業者数は、31年3月末現在で2万9,741経営体（うち農業法人は3,383）です。

増加する農地所有適格法人

法人化による農業経営の展開は対外的な信用力が高まるほか、給与制や休日制、社会保険などの整備により優れた人材を確保しやすく、経営の規模拡大や多角化といった事業展開が容易になるなど多くのメリットを有しています。特に複数戸による農地所有適格法人は、地域の中核的な担い手として離農者の農地や農作業の引き受け、新規就農希望者の受け入れといった公益的な役割を果たしていくことが期待されます。

道は農業関係機関・団体と連携して、農業経営の法人化や、法人経営の安定と発展を推進する地域の取り組みを支援しています。31年1月現在の農地所有適格法人数は3,605法人と増加傾向です。このうち農畜産物の加工や販売、農作業受託などの関連事業に取り組み、経営を多角化している農地所有適格法人は822法人で、全体の約2割を占めています。

企業連携・農業法人化をサポート

建設業や食料品製造、販売業などの農外企業が別会社として農地所有適格法人を設立する事例や、農業者と共同で農地所有適格法人を設立す

「オール宗谷」で担い手呼び込み

宗谷酪農セミナーで学生にPR

宗谷管内では、各市町村やJAなどの地元関係機関が一丸となって「オール宗谷」で地域を売り込み、新規就農者のみならず新たな人材を呼び込むため、「宗谷酪農セミナー」を開催しています。道内外の農業系大学で学んでいる若い世代の学生をターゲットに、酪農ヘルパーなどの地域を支える担い手の確保・育成に取り組んでいます。

地域と大学との連携体制の構築にも

セミナーでは宗谷地域や宗谷酪農の魅力のほか、酪農ヘルパーやJAなど宗谷管内の農業に関連した職業をPRするとともに、宗谷管内で活躍する若手酪農家が講演し、酪農経営の魅力や新規就農までの経緯などを現場目線で伝えています。また、地元関係機関と協力して市町村別のブースを設け個別の就職相談や、地元が独自に実施する体験実習・セミナーのPRも行っています。

セミナーに参加した学生からは「非農家出身だが、将来は就農を考えていたので新規就農者の講演がとても参考になった」「今まで聞いたことのない地域だったが、手厚い支援や牛が過ごしやすい気候、豊かな自然などとても興味が湧いた」などの宗谷酪農に魅力を感じる意見が多数寄せられました。多くの学生に宗谷酪農を効率的にPRできたほか、地域の関係機関が独自に実施する体験実習などに学生が参加するようになるなど、地域と大学との連携体制の構築にも一役買っています。

宗谷に関心を持った学生をいかにして地域へ導いていくのか、今後とも関係機関や農業系大学と連携し、継続したPR活動を展開していく方針です。

酪農セミナー（酪農学園大学）

個別相談会（東京農業大学）

る事例が年々増加しています。

道は、企業や地域からの相談に応じる「企業連携・農業法人化サポートデスク」を設置し、農業経営の法人化を促進するとともに、民間企業の農業参入や農業関係者との連携を進めることで、民間企業の経営ノウハウや販売ルートなどの活用を図っています。28年4月の開設以降、417件の相談があります。

新規就農者への支援

北海道の新規就農者数は22年以降減少傾向で、30年は529人が新たに就農しました。そのうち農家出身者の新規学卒就農者は187人、農家出身者のUターン就農者は225人、非農家出身者で新たに農業経営を開始した者や農業法人の構成員となった者などいわゆる新規参入者が117人です。

本道では、農業の担い手を育成・確保するための総合支援を行う北海道農業担い手育成センターが公益財団法人北海道農業公社に設置されており、道や市町村、農業関係団体による連携の下、取り組みを進めています。北海道農業担い手育成センターでは就農セミナーや新規就農フェアなどを開催・出展し就農希望者の相談に応じるとともに、市町村に設置されている地域担い手育成センターと連携しながら研修先、実習先の情報提供やあっせん、研修生の事故発生時の傷害補償対策の実施など地域の受け入れ促進とその環境整備に向けたきめ細やかな取り組みを行っています。

また地域担い手育成センターでは、研修生や受け入れ指導農家に対する助成など就農に向けた支援を行うほか、農業体験実習のための宿泊・実習施設の整備や滞在経費への助成といったさまざまな独自の取り組みを進めています。

● 農家戸数の推移

（単位：戸、％）

区分	販売農家	専業別			主業農家
		専業農家	兼業農家		
			第1種	第2種	
平成30年	35,800	24,500 (68.2)	8,800 (24.5)	2,600 (7.3)	26,100 (72.9)
31年	35,100	22,700 (64.7)	10,000 (28.5)	2,400 (6.8)	24,900 (70.9)
都府県(31年)	1,095,000	345,700 (31.6)	167,300 (15.3)	582,000 (53.1)	210,700 (19.2)

資料:農林水産省「農業構造動態調査」
注:1)「主業農家」は、農業所得が主（農家所得の50％以上が農業所得）で、年間60日以上農業に従事する65歳未満の者がいる農家
　2)（　）内は構成比

● 農業者（販売農家）の年齢別構成比

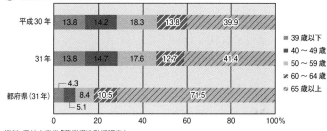

資料:農林水産省「農業構造動態調査」

● 認定農業者数の推移

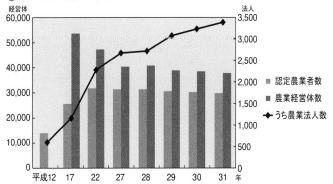

資料:農林水産省「世界農林業センサス」「農業構造動態調査」、北海道農政部調べ
注:1)「農業経営体」とは、農産物の生産を行うか、または委託を受けて農作業を行い生産、または作業に係る面積や頭数が次の規定のいずれかに該当するものをいう
　①経営耕地面積が30a以上の規模の農業
　②農作物の作付面積または栽培面積、家畜の飼養頭羽数または出荷羽数その他の事業の規模が一定の基準以上の農家
　③農作業の受託の事業
　2)農業経営体数は各年2月1日現在、認定農業者数は各年3月末現在

● 農地所有適格法人数の推移

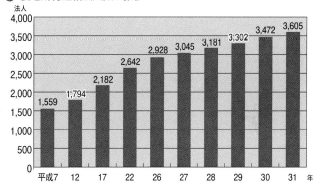

資料:北海道農政部「農地調整年報」、農林水産省「農地法の施行状況に関する調査」
（各年1月現在）
注:「農地法の施行状況に関する調査」では、平成22年まで休業などにより調査時点において農地を保有していない法人も計上していたが、23年以降の調査では、調査の対象に含めない取り扱いとなった

● 新規就農者数の推移

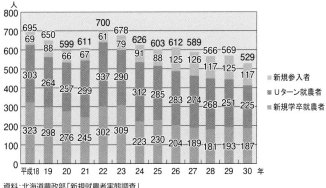

資料:北海道農政部「新規就農者実態調査」
注:新規就農者数は、新規学卒就農者、Uターン就農者、新規参入者の合計

● 経営形態別新規就農者数

（単位：人、％）

区分	平成28年		29年		30年	
稲作	142	25.1	159	27.9	117	22.1
畑作	171	30.2	178	31.3	161	30.4
酪農	131	23.1	86	15.1	117	22.1
肉牛	18	3.2	24	4.2	18	3.4
野菜	91	16.1	103	18.1	95	18.0
花き	3	0.5	9	1.6	3	0.6
養鶏	0	0.0	1	0.2	0	0.0
養豚	0	0.0	1	0.2	1	0.2
果樹	7	1.2	3	0.5	11	2.1
軽種馬	1	0.2	1	0.2	2	0.4
その他	2	0.4	4	0.7	4	0.8
合計	566	100.0	569	100.0	529	100.0

資料:北海道農政部「新規就農者実態調査」

女性・高齢者の活躍と地域農業支援組織

女性農業者の経営参画

北海道の女性農業者は、農業就業人口の約44％を占めており、生産や経営面での担い手としてだけではなく、農産物の加工や都市と農村の交流の促進などさまざまな場面で活動しており、地域経済の活性化に大きな役割を果たしています。

一方、39歳以下の若い世代では女性の割合が少なくなっており、北海道農業や農村の持続的な発展に向けて、若い女性の就業促進や活躍支援などを図り、農業経営や地域社会への積極的な参画の促進が必要です。また農村では、男女の役割に対する固定的な意識が依然強く残っているところもあり、女性が意欲や能力、特性を十分に発揮しづらい面があります。

女性の経営参画を促すには、家族内で十分話し合い、経営方針や役割分担、就業条件や就業環境を取り決める

「家族経営協定」の締結が効果的です。しかし、道内で家族経営協定を締結している農家は、平成31年3月末現在で5,770戸と、主業農家2万4,900戸の2割程度にとどまっており、より一層の協定締結の促進が重要です。

女性農業者の社会参画に関しては、30年10月現在、170の農業委員会に173人の女性農業委員が就任しています。また30年事業年度末現在、全道109の総合農協で21人の女性役員が就任しています。JAグループ北海道は28年度から女性農業者リーダー養成を目的とした研修の開催に取り組み、女性農業者のJA運営への参画を後押しする環境整備を進めています。

女性が活躍できる環境づくり

近年、若い世代の女性農業者の新しい発想や価値観を生かす活動が注目されています。北海道でも、各地で若手女性農業者によるネットワーク化の機運が高まっており、地域の活性化につながっています。

こうした動きをさらに広げるため、道は女性農業者のグループ活動の活性化や新しいグループの設立を促すとともに、男性の理解増進を図るなど女性の活躍の障害になっている環境の改善に向けた取り組みを実施しています。

女性・高齢者チャレンジ活動表彰

道は、地域の女性や高齢者の活動が促進されるよう、農業経営の改善や起業化をはじめ、農村生活の充実、地域の振興などに積極的に取り組んでいる女性農業者や高齢者の活動を表彰し、その活動成果を広く紹介する「女性・高齢者チャレンジ活動表彰」を実施しています。

地域農業を支援するコントラクター

農業従事者の高齢化や労働力不足が進行する中、農作業を請け負うコントラクター（農作業受託組織）の活用は、委託農家の労働負担を軽減するだけではなく、個々の農家の機械や設備に係る経費を節減する効果も期待されます。また、コントラクターの活用によって生じた余剰労働力を生かした規模拡大や、新たな高収益作物の導入により所得増加が期待されるなど、農業経営の安定だけでなく、地域農業の維持や発展に対し大きな役割を果たしています。北海道のコントラクター数は31年3月末現在330組織です。

TMRセンター

酪農経営の規模拡大に伴い、乳牛管理に重点を置くため飼料生産を外部化するシステムとして、地域の酪農家が主体となり粗飼料生産からTMR（完全混合飼料）の調製や供給までを担当するTMRセンターの設立が増えています。30年度の組織数は80に達し、新しい地域支援システムとして定着しています。

帯広で「酪農女性サミット2019」開催

北海道農業や農村の持続的な発展には、若い女性の就農促進や活躍支援などを図り、農業経営や地域社会への積極的な参画の促進が必要です。北海道でも、各地で若手女性農業者によるネットワーク化の機運が高まっており、それらの取り組みが地域の活性化につながっています。

令和元年12月3、4日には「酪農女性サミット2019in帯広ファイナル」が開催され、全国の女性酪農家や業界関係者など約400人が参加しました。酪農女性サミットは全道の女性農業者グループの代表らが中心となって実行委員会を立ち上げ、平成29年度に札幌で初めて開催。実行委員メンバーが酪農業の傍ら、企画から運営までを約半年間かけて全て手づくりで準備しています。

最終回となった元年度のサミットは2日間にわたり酪農経営や技術に関する講演が行われたほか、トークセッション、ワークショップや懇親会が開かれ、交流を深めました。

トークセッションでは「酪農女性のモチベーションUP！ 講座～仕事、生活、家庭、育児、働く女性のやる気スイッチ～」をテーマに、3人の酪農家女性がそれぞれの取り組みを語り、会場の女性たちにメッセージを送りました。

足寄町や南十勝など各地区において同じ趣旨の"プチサミット"が芽吹き始めたことから、全国規模での開催は今回でいったん休止となりましたが、参加者からは「また5年、10年後に集まれたら」との声が聞かれ、再集結への期待をにじませました。

サミット実行委員会と関係スタッフ

定着する酪農ヘルパー利用

　北海道の酪農ヘルパー利用組合は令和元年8月現在で86あり、道東・道北の酪農専業地帯のほぼ全域に設立されています。利用組合には乳用牛飼養農家戸数の91.4％、5,000戸が加入しており、平成30年度の加入農家1戸当たりの年間利用日数は、23.2日で前年と同水準でした。

　酪農ヘルパーは、地域酪農の新たな担い手としても活躍が期待されています。道は、主に搾乳や給餌の作業を担うヘルパーが、飼料調製や乳牛の飼養管理など、新たな技術も習得できるようサポートしています。労働力不足に悩む高齢酪農家などを支える人材（酪農経営ヘルパー）として定着してもらえるように、今後も支援していくとしています。

● 家族経営協定の締結状況

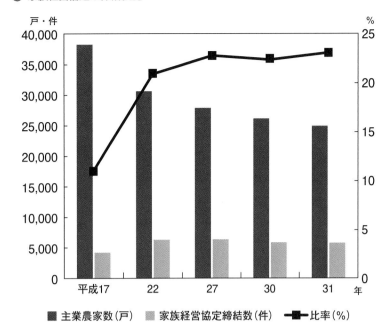

■ 主業農家数（戸）　■ 家族経営協定締結数（件）　—■—比率（%）

資料：北海道農政部「家族経営協定実態調査」

● 令和元年度女性・高齢者チャレンジ活動表彰者

区分	市町村	グループまたは個人名	活動の種類
最優秀賞	網走市	デイリーウーマンズ	経営参画
優秀賞	今金町	川上　絹子（かわかみ　きぬこ）	地域社会参画

資料：北海道農政部

● TMRセンターの推移

区　　分	平成12年度	17年度	22年度	26年度	27年度	28年度	29年度	30年度
TMRセンター組織数	3	15	39	61	65	71	77	80
構成員（戸）	－	137	－	606	654	708	713	728
酪農家戸数に占める割合（%）	－	1.6	－	8.7	9.8	10.9	11.3	11.9
給与頭数（頭）	－	11,566	－	65,888	75,573	95,725	99,291	106,844
乳牛頭数に占める割合（%）	－	1.3	－	8.3	9.5	12.2	12.7	13.5

資料：北海道農政部「コントラクター実態調査」

● コントラクター組織数の推移

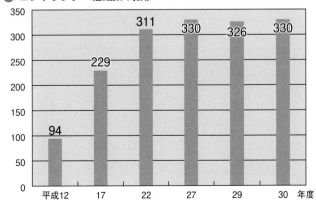

資料：北海道農政部調べ

● 酪農ヘルパーの利用状況

年度	利用組合数	利用組合参加戸数（戸）	乳用牛飼養戸数（戸）	加入率（%）	延べ利用日数（日）	利用農家1戸当たり利用日数（日）	専任ヘルパー要員数（人）	臨時ヘルパー要員数（人）
平成12	94	6,926	9,950	82.7	74,077	12.3	370	647
17	102	6,954	8,790	87.2	98,303	16.2	511	620
22	96	6,271	7,358	89.3	99,750	18.2	497	476
27	90	5,507	6,680	90.6	105,900	22.2	521	396
30	86	5,117	6,140	91.3	96,090	23.2	503	348
令和元	86	5,000	5,970	91.4	－	－	498	329

資料：北海道農政部調べ
注：1）加入率および農家1戸当たり利用日数は組合活動区域における実数
　　2）－は調査中

食の安全・安心

条例の制定と基本計画

　道民の健康の保護と、消費者に信頼される安全・安心な道産食品づくりを目指すため、道は「北海道食の安全・安心条例」を平成17年3月に制定しました。同年12月には「北海道食の安全・安心基本計画」が策定され、総合的かつ計画的に施策を推進してきました。31年3月に策定された第4次基本計画では、国際的に通用する食の安全・安心の確保や地域の食資源の活用、農林水産物や加工食品の輸出などへの関心、国連の持続可能な開発目標（SDGs）の達成に向けた取り組みの重要性が高まる中、「世界から信頼される食の北海道ブランドへ」を目指す姿として掲げています。生産から流通、消費に至る各段階で国際的に通用する食品の安全性確保など5つの施策に推進方向が定められており、具体的には国際水準のGAP（農業生産工程管理）やHACCP（ハサップ＝危害分析重要管理点、危害要因分析必須管理点）による衛生管理の導入、クリーン農業や有機農業、環境に配慮した持続可能な農業生産、食育の推進など各種施策の推進を挙げています。

　17年3月には「北海道遺伝子組換え作物の栽培等による交雑等の防止に関する条例」が制定されました。この条例は遺伝子組み換え作物の栽培による一般作物との交雑や混入を防ぎ、農業生産や流通上の混乱を防止することが目的です。試験研究機関における試験栽培は知事への届け出制、農業者などによる一般栽培については知事の許可制としていますが、これまで本条例に基づく栽培の許可申請や届け出はありません。

愛食運動の推進

　食の安全に対する消費者の関心が高まる中、道は生産者団体、経済団体、消費者団体などで構成する「北のめぐみ愛食運動道民会議」を設置し、地産地消や食育を総合的に推進する「愛食運動」を展開しています。また、運動をより

食育の推進
［食品ロス削減に向けて］

　小売店での売れ残りや家庭での食べ残しなど、年間643万tにも及ぶ食品ロス。削減に向けて道民全体が食べ物の大切さ、食やそれに携わる方々への感謝、環境保全への意識を共有し、それぞれの立場で具体的な行動を実践することが大切です。道は「どさんこ愛食食べきり運動」を展開。家庭や外食での食べ残しを減らすための啓発など、食品ロス削減に向けた取り組みを企業や団体、市町村、大学などと連携して進めています。令和2年2月には、この運動の幅広い周知と事業者への取り組み促進を目的に「どさんこ食べきり協力店制度」を創設しました。

ステッカー

食べきり協力店登録店舗の募集

一層広げるため、地産地消や食育に取り組んでいる道内の企業や団体・グループを「北のめぐみ愛食応援団」として登録（令和2年3月末現在150件）。地産地消の一層の推進に向け、平成16年度には「愛食の日」を制定し、道産食品の需要拡大やロゴマークを使用した普及啓発活動も展開しています。

　「愛食の日」は地元の食材を選び、家族や仲間などで楽しく味わいながら地元食材の良さを再認識し、食の大切さやあり方を見詰め直すことが狙いです。量販店などと連携した普及啓発など消費者への愛食運動に対する積極的な参加を呼び掛けています。

愛食の日
ネーミング：どんどん食べよう道産DAY
日にち：毎月第3土曜日、日曜日
キャッチフレーズ：おいしいですよ北海道

「北のめぐみ愛食応援団」ロゴとキャラクター
「大地くん・めぐみちゃん」

　また道内の生産者団体などが開催する産地直売市「北のめぐみ愛食フェア」を支援しており、さらに道産食材を活用したこだわりの料理を提供する外食店や宿泊施設を「北のめぐみ愛食レストラン」として認定（令和2年3月末現在330店）するなど地産地消を推進するさまざまな運動を展開しています。

道産食品の認証制度と登録制度

　道産食品独自認証制度は、道産食材を使用し高いレベルの安全・安心基準をクリアした上で、生産者のこだわりが生む優れた商品特性を持つ食品を認証し「きらりっぷマーク」を表示して販売する制度です。2年3月末現在、21品目に認証基準が定められており、21事業者の50商品が認証されています。

また道産食品登録制度は、道産原材料を使用して、道内で製造や加工された食品を登録し「道産原料マーク」を表示して販売する制度です。2年3月末現在、130社362品が登録されています。

きらりっぷマーク

道産原料マーク

食育の取り組み

食育は生きる上での基本として、知育・徳育・体育の基礎となるべきものと位置付けられます。また、さまざまな経験を通じ、食に関する知識と食を選択する力を習得し、健全な食生活を実践できる人間を育てる取り組みとして重要です。

国は健全な食生活の実現を目指し、平成12年3月に「食生活指針」、17年6月に食事の望ましい組み合わせとおおよその量を示した「食事バランスガイド」を策定し、その普及に取り組んでいます。

17年6月に食育基本法を制定し、18年3月に「食育推進基本計画」を策定、その後の食育を巡る情勢の変化に対応するため計画の見直しを行い、28年3月には「第3次食育推進基本計画」を策定するなど「食育」を国民運動として推進しています。

道は17年3月に制定した食の安全・安心条例の中に「食育の推進」を位置付け、同年12月、全国に先駆けて「北海道食育推進行動計画」を策定しました。31年3月に「『食』の力で育む心と身体と地域の元気」を目標とする第4次推進計画を策定し、優良活動への表彰、シニア向け食育講座や親子向け体験ツアーの開催など総合的かつ計画的な取り組みを進めています。

地域ならではの農作物をつくる人、地域が誇る加工品や郷土料理をつくる人など、地域の風土や食文化を生かした北海道らしい食づくりを登録する「北海道らしい食づくり名人登録制度」には、令和2年3月末現在160人が登録。地域固有の食文化や伝統が次の世代へとしっかり受け継がれるよう努める活動も実施しています。

「米チェン!」と「麦チェン!」

北海道米の道内食率（道内の米消費量に占める北海道米の割合）を高める運動「米チェン!」は、平成17年1月にスタートしました。道や農業団体のほか、流通、飲食、旅館など16の機関・団体で構成する「北海道米食率向上戦略会議」を立ち上げ実施する、家庭用・業務用の北海道米の需要拡大に向けたオール北海道での取り組みです。

良食味米の「ゆめぴりか」「ななつぼし」「ふっくりんこ」「おぼろづき」などの登場や、関係者が一丸となったPR活動により道内食率は年々向上し、23米穀年度（22年11月〜23年10月）には「米チェン!」当初目標の80％を超え、82％に到達しました。こうした取り組みや良食味米「ゆめぴりか」の登場などにより、近年の道内食率は目標の85％を上回る高い水準で推移しています。令和元米穀年度（平成30年11月〜令和元年10月）の道内食率も86％となりました。

北海道は小麦の国内自給率12％程度のうち、国内生産の7割程度を担う小麦の主産地でもあります。しかし道産小麦は道外での需要も多く、その8割程度が移出されており、道内で加工や消費される小麦の5割程度を輸入小麦が占める状況となっています。

一方で食の安全・安心への関心の高まりや、地産地消の取り組みの進展などにより、道産小麦への期待がより高まっています。この動きを道民運動として盛り上げていくため、道は21年度から道内で加工・消費される分を輸入小麦から道産小麦へ転換する「麦チェン!北海道」に取り組んでいます。

その一環として、道民に「麦チェン!」を身近なものと感じてもらうため、平成22年2月にロゴを作成し、PR資料などで活用しています。26年9月から道産小麦100％使用の商品パッケージにもロゴを印字・貼付しています。製パン・製菓メーカーやコンビニ商品を中心にロゴの使用は増えています。道産小麦を使用した商品を積極的に提供している店舗を認定する「麦チェンサポーター店制度」には、令和2年3月末時点で431店が登録されています。

● 北海道米の道内食率の推移

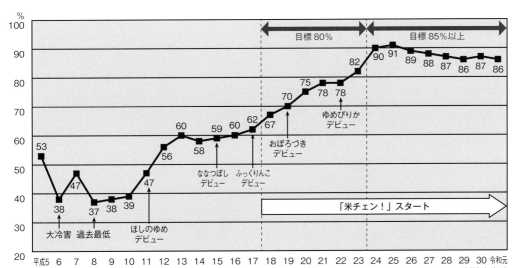

資料:北海道農政部調べ　注:米穀年度は前年11月〜当年10月まで

年間を通じて北海道米プロモーションを実施中

麦チェン!ロゴ

農地の動向と土地利用

耕地面積

　北海道の耕地面積は、平成2年の120万9,000haをピークに減少傾向で、令和元年は114万4,000haと前年より1,000ha減少しています。

　農作物作付け（栽培）延べ面積は、平成30年が113万3,000haで、耕地利用率は99％となっています。

農地価格

　農地価格は昭和58～59年を境に低下傾向にあり、令和元年は10a当たり中田が24万8,000円、中畑は11万6,000円、それぞれピーク時の47.3％、50.2％です。契約賃借料も同様に、元年は10a当たり田が1万122円、畑が4,342円、それぞれピーク時の39.2％、59％です。最近の農地価格の低下は、経営規模の拡大を志向する農業者らによる農地の権利取得を容易にしています。

農地流動化と優良農地の確保

　平成29年の農地および採草放牧地の権利移動面積は9万7,649haで、前年に比べ6,805ha（6.5％）の減少となりました。うち経営規模の拡大につながる「売買と賃貸借による権利移動面積（農地流動化面積）」は6万9,027haで、前年に比べ6,410ha（8.5％）の減少となっています。また、農地流動化面積に占める売買と賃貸借の割合を見ると、賃貸借が売買を上回っており、29年は賃貸借が45.1％、売買が21％となっています。

　道は農業振興地域の整備に関する法律に基づき、「農業振興地域」を指定しており、その面積は30年12月末現在で293万9,820haと、道の総土地面積の約35％となっています。このうち市町村が定める「農用地区域」面積は30年12月末現在で132万3,886haと前年に比べ0.1％増加しました。

　27年に国の「農用地等の確保等に関する基本指針」が見直され、道も28

年に「北海道農業振興地域整備基本方針」を変更し、令和7年時点で確保すべき農用地区域内の農地面積は111万3,000haと定めています。平成30年12月末現在で111万8,332haと、

現時点では目標を上回っています。ただし今後とも農地のかい廃が見込まれることから、農用地区域への編入促進や荒廃農地発生抑制、再生などにより優良農地を確保することが必要です。

● 耕地面積の推移

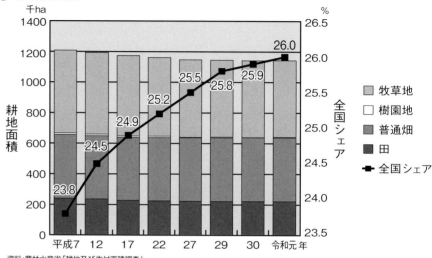

資料：農林水産省「耕地及び作付面積調査」

● 農地および採草放牧地の権利形態別移動面積の推移

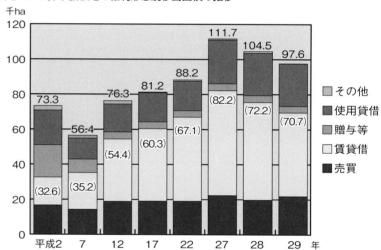

資料：農林水産省「土地管理情報収集分析調査（平成21年まで）」「農地権利の移動・借賃等調査（22年以降）」
注：1）（　）内は売買と賃貸借の合計面積（農地流動化面積）
　　2）農地流動化面積には、農地保有合理化事業による権利移動（＝買い入れ、一時貸し付け、売り渡しなど）の面積が含まれている
　　3）賃貸借および使用貸借は、権利の設定のみで、移転はその他に含まれる

● 担い手への農地利用集積面積の推移

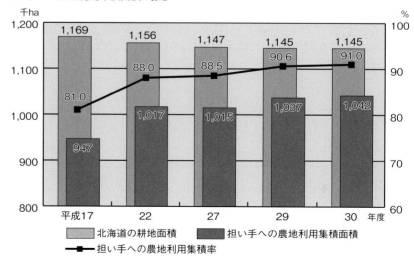

資料：北海道農政部調べ　注：北海道の耕地面積は各年度7月15日現在、担い手への農地利用集積面積は各年度3月末現在

農業経営

粗収入増も経営費増が圧迫

　北海道では1経営体当たりの農業所得が総所得の9割近くを占め、都府県と比べてみると農業への依存度が高いのが特徴です。

　北海道の平成30年の1経営体当たり農業粗収益は3,504万円で、稲作収入や野菜収入は減少したものの、畜産収入が増加したことから、前年に比べ1.5％増となりました。

　農業経営費が2,553万円と9.4％増加した結果、農業所得は951万円となり、農外所得などを加えた総所得は1,096万円と、前年に比べ12.4％減少しました。

水田・畑作・酪農ともに所得減

　営農類型別に見ると、水田作経営農家の農業粗収益は1,675万円となり、前年と比べ13.3％減少しました。経営費は前年に比べ3.6％減の1,130万円。その結果、農業所得は28.4％減の545万円となりました。畑作経営農家の農業粗収益は、前年に比べ2.7％減の3,664万円。経営費は農機具費、光熱動力費が増加したことにより2.3％増となり、農業所得は11.4％減の1,208万円となっています。

　酪農経営農家の農業粗収益は9,401万円と前年比3.9％増加しました。ただ、農業経営費は12.3％増加したことで、農業所得は18.1％減の2,049万円となっています。近年、農業所得は乳価の引き上げや個体販売価格の上昇などにより増加傾向にありましたが、30年は生産コストの上昇などにより減少に転じました。

● 農家経済の概要（農業生産物販売を目的とする個別経営1経営体当たり）

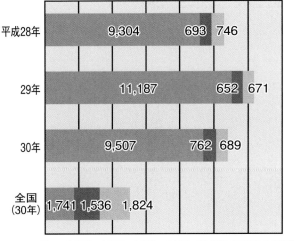

資料：農林水産省「農業経営統計調査」

● 営農類型別の農家経済

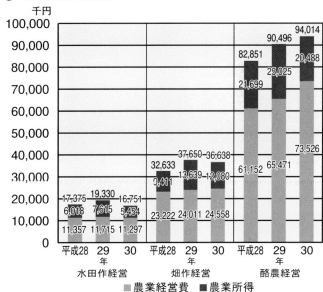

農業粗収益＝農業所得＋農業経営費

資料：農林水産省「経営形態別経営統計」

● 農村物価指数

区分	平成17年	26年	27年	28年	29年	30年
農産物価格総合	100	104.2	109.7	117.5	118.9	122.6
農業生産資材総合	100	121.3	121.5	119.8	120.0	122.4
肥料	100	143.0	145.7	143.0	135.1	137.4
農薬	100	111.8	113.0	112.9	112.3	112.3
飼料	100	142.1	144.1	134.1	133.1	138.5
農機具	100	106.6	107.1	107.3	107.3	107.4
光熱動力	100	142.3	121.6	105.3	116.4	130.1

資料：農林水産省「農業物価統計」
注：指数は平成17年を100とする

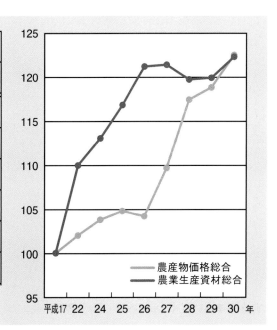

稲作

北海道の大区画水田

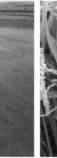
収穫間近の稲穂

北海道の水稲は、明治6年に中山久蔵が札幌郡月寒村宇島松（現在の北広島市宇島松）で試作に成功して以来、耐冷性品種の育成や栽培技術の改善により生産地を拡大してきました。その後、昭和44年に作付面積はピークの26万6,200haに達しましたが、国内全体で生産量が過剰となり、生産調整が実施され、北海道米の作付面積も減少に転じました。

令和元年産米の生産状況

北海道の令和元年産米の作付面積は前年から1,000ha減少し10万3,000ha。作柄は5月下旬から7月中旬にかけておおむね天候に恵まれたことなどから、10a当たり収量は571kgで、作況指数104の「やや良」となりました。収穫量（子実用）は58万8,100tと前年を上回りました。

品種別の作付割合（令和元年産米）は「ななつぼし」がトップで48％、次いで「ゆめぴりか」23％、「きらら397」10％の順となりました。

米の相対取引価格は、過剰在庫による需給の緩和で平成26年ごろまで低下していました。しかしその後、飼料用米の生産拡大など、全国的な主食用米の在庫量改善に向けた取り組みが進んだことなどにより上昇し、29年産以降は横ばいとなっています。令和元年産の出回りから2年2月までの全銘柄平均価格は玄米60kg当たり1万5,752円、北海道米の「ななつぼし」は1万5,856円となりました。

売れる米づくりを

近年、「ななつぼし」や「ゆめぴりか」などの良食味品種の登場や、計画的な土地基盤の整備、生産者の高品質かつ良食味米生産に対する取り組みなどから、1等米比率が全国平均を上回るなど、北海道米の品質は着実に向上しています。一般財団法人日本穀物検定協会による元年産米の食味ランキングで、「ななつぼし」「ゆめぴりか」「ふっくりんこ」が最高ランクである「特A」

を獲得するなど、全国的にも高い評価を受けています。

道は「北海道優良品種地帯別作付指標」を策定し、品種特性に応じた適地適作を推進しています。良食味米に加えて、中食や外食などの業務用に適した「そらゆき」、冷凍ピラフなどの加工米飯用に適した「大地の星」や「ほしまる」、酒造用に適した「吟風」や「彗星」「きたしずく」、多収で飼料用に適した「そらゆたか」など、多様なニーズに対応した米づくりを推進しています。もち米については、軟らかさが長持ちする「はくちょうもち」や「風の子

● 米の作付面積と収穫量の推移

■作付面積

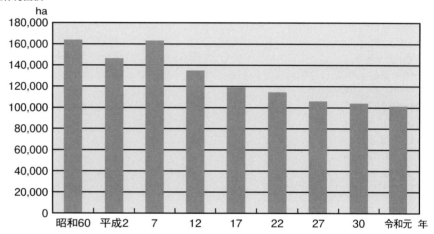

■収穫量

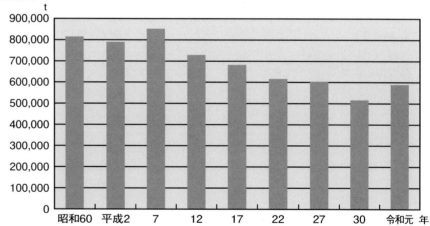

資料：農林水産省「作物統計」

● 米の卸相対取引価格の推移

（単位：円／60kg）

品種銘柄（産地）	平成22年産	29年産	30年産	令和元年産			
				1月	3月	5月	7月
ななつぼし（北海道）	11,549	15,882	15,996	15,954	15,941	15,775	15,901
ゆめぴりか（北海道）	−	17,226	16,266	16,969	16,413	17,523	16,588
きらら397（北海道）	11,196	15,681	15,527	15,666	15,343	15,421	15,344
全銘柄平均	12,711	15,595	15,688	15,824	15,749	15,777	15,556

資料：農林水産省「米穀の取引に関する報告」
注：価格には、運賃、包装代、消費税相当額が含まれている

● うるち米主要品種の作付比率

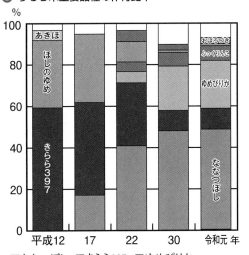

資料：農林水産省「米穀の品種別作付け状況（平成17年まで）」、北海道農政部調べ（22年以降）

凡例：
- ■ ななつぼし
- ■ きらら397
- ■ ゆめぴりか
- ■ ふっくりんこ
- ■ ほしのゆめ
- ■ おぼろづき
- ■ あきほ
- □ その他

● 主要産地銘柄の食味ランキング

都道府県	地区	品種	平成23年産	24年産	25年産	26年産	27年産	28年産	29年産	30年産	令和元年産
北海道	全道	きらら397	A	A	A	A	A	A	A	—	—
		ななつぼし	特A	特A	特A	特A	特A	特A	特A	特A	特A
		ゆめぴりか	特A	特A	特A	特A	特A	特A	特A	特A	特A
		ふっくりんこ	—	—	—	(特A)	特A	特A	特A	A	特A

資料：(一財)日本穀物検定協会「米の食味ランキング」
注：（　）は参考品種

もち」、耐冷性が極めて強く白度が高い「きたゆきもち」、硬化性が高く切りもちに適する「きたふくもち」などが作付けされています。

また、経営規模の拡大や担い手の高齢化が進行していることなどから、水田の地下かんがいシステムの整備とともに直播栽培の導入やICTの活用、低コストかつ省力化技術の導入を進めています。こうした中、平成30年には直播栽培に適し食味にも優れた「えみまる」が新たに優良品種に認定されたことから、直播栽培のさらなる拡大と定着が期待されます。

飼料用米の生産については、米消費の減少が続く中、水稲作付面積の維持・確保の有効策として、道による産地への支援、関係機関・団体による「北海道飼料用米生産・利用推進協議会」による低コスト・省力化栽培技術導入や販売先確保などの取り組みが行われています。また、多収で直播に適した新品種「そらゆたか」が29年産から本格栽培され、さらなる飼料用米作付けの拡大が期待されています。

米政策改革への対応

国は27年3月に閣議決定した「食料・農業・農村基本計画」の中で「米政策改革の着実な推進」を掲げ、30年産から行政による米の生産数量目標の配分（行政による生産調整）を廃止しました。以降、国は「需給見通し」を策定・公表し、生産者や集荷業者・団体が需要に応じた生産量を決めることになります。

道は29年7月、道内の生産者、農業関係機関・団体、集荷業者、行政などの米関係者が一体となったオール北海道体制での需要に応じた米生産を目的に、北海道農業再生協議会内に水田部会を設置しました。

30年産以降、水田部会を通じて、米価の安定による農家所得の確保や北海道米の安定供給を目的とした全道および地域段階の「生産の目安」を設定するなど、本道における稲作の持続的発展と経営の安定に取り組んでいます。北海道水田部会は令和2年産の主食用米の生産の目安として、うるち・もちを合わせて作付面積9万7,402ha、生産量53万4,060tと定めました。また、加工用途・その他を含む水稲全体の生産の目安は、10万7,049ha、58万6,614tと設定しています。

道産酒の輸出拡大に向けた取り組み

酒造好適米の作付け増加

道内での酒造好適米の作付けは近年、拡大傾向にあり、平成30年産は37市町村、作付面積404haと過去最大になりました。

現在、道内で作付けされている酒造好適米は、「吟風（ぎんぷう）」「彗星（すいせい）」「きたしずく」の3品種。30年産「吟風」の作付面積は265haと酒造好適米の約3分の2を占めています。

道内10市町、12の酒蔵で日本酒の醸造が行われており、近年は道産酒造好適米を使用した道産酒が全国新酒鑑評会で「金賞」を受賞するなど認知度や評価が向上しています。

フランス・パリで道産酒をPR

日本食ブームなどを背景に、日本酒の輸出量や輸出金額は増加傾向にあり、北海道の令和元年輸出金額は3億4,800万円と、前年から6,600万円も増加しました。

道はさらなる道産酒の輸出拡大に向け、フランス・パリ市で開催されたヨーロッパ最大規模の日本酒試飲イベント「Salon du Saké 2019」に北海道として初めて出展しました。イベントでは、道産酒造好適米を使用した道産酒を前面にPRしたほか、道内10酒造19銘柄の試飲やセミナー、プレゼンテーションを行いました。北海道ブースには多くの人が訪れ、道産酒の味や香りを楽しんでもらうことができました。

北海道米の商談会

道産酒（日本酒）のPR

畑作

大型コンバインで行う小麦収穫

小豆は収穫後、ニオ積みして乾燥

馬鈴しょの花

収穫されたてん菜

北海道の畑作は麦類、豆類、馬鈴しょ、てん菜の4品が柱となっています。安定的な生産のためには、これらの輪作体系の確立と維持が重要です。

小麦

小麦は開拓初期から奨励され普及してきました。昭和47年には安価な輸入小麦に押され作付面積が7,700haまで減少したものの、水田転作などにより平成元年には過去最高の12万9,700haに達し、近年は12万ha台で推移しています。小麦の国内需要は近年660万t程度で、国民1人当たりの消費量は33kg／年。国内需給については政府が計画的にアメリカやカナダ、オーストラリアなどから輸入しており、近年は560万～600万tの間で推移しています。30

年の自給率は国内生産量が減少したことから12％に低下しました。

地域別の作付割合は、畑作地域の十勝とオホーツク管内で全道の58.6％を占めているほか、水田転作地域の空知と上川管内は27.8％、この4管内で全道の86.4％が作付けされています。

北海道の令和元年産小麦は、10a当たり収量は558kg（平年対比121％）となったことから、収穫量は67万7,700tとなりました。また農産物検

査での1等麦比率は92.3％です。

品種は日本めん用途の秋まき小麦「きたほなみ」、パン・中華めん用途の春まき小麦「春よ恋」、秋まき小麦「ゆめちから」「キタノカオリ」などが作付けされています。

大豆

北海道は全国でも豆の主要な産地として知られていますが、豆類は寒さに弱いことから、生産量や価格の変動が大きいため、安定的な生産を図るための取り

🟢 小麦の作付面積と収穫量の推移

■作付面積
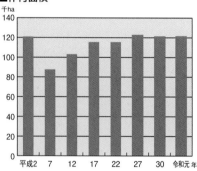

■収穫量
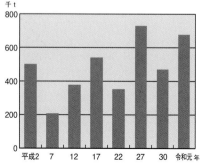

資料：農林水産省「作物統計」

🟢 大豆の作付面積と収穫量の推移

■作付面積
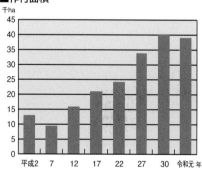

■収穫量
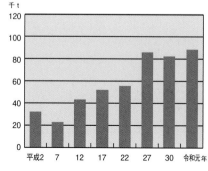

資料：農林水産省「作物統計」

🟢 小豆の作付面積と収穫量の推移

■作付面積
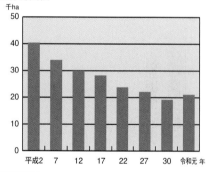

■収穫量
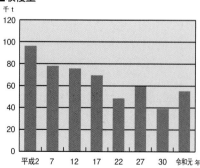

資料：農林水産省「作物統計」

組みが進められています。北海道産の大豆は、煮、納豆など高い品質が求められる食品用として使用されています。

北海道の元年産大豆の作付面積は3万9,100haと前年に比べ、やや減少しました。10a当たりの収量は226kgと平年対比95％となりましたが、収穫量は8万8,400tと、不作だった前年と比べ6,100t増加しました。

雑豆（小豆、いんげん）

北海道産の小豆は、風味が良く品質が優れていることから製あん、甘納豆、製菓原料として高い評価を受けています。いんげんも風味の良さ、加工しやすさの面から煮豆、製あん、製菓原料として高く評価されています。

小豆の作付面積は、平成27年産までの豊作と価格低迷により大豆への転換が進み、28年産に大きく減少しました。しかし農業団体の作付け推進により29年産に増加に転じ、令和元年産は2万900haとなりました。10a当たり収量は265kgと平年対比106％となったことから、収穫量は5万5,400tと前年に比べ1万6,200tの増加となりました。また、いんげんの元年産の作付面積は6,340ha、10a当たり収量は200kg、収穫量は1万2,700tと不作だった昨年から増加しました。

実需者からは道産雑豆の供給量確保や作付面積拡大が求められています。

馬鈴しょ

北海道の馬鈴しょ栽培は明治初めの開拓使設置以来、開拓者の自給食物として急速に普及しました。その後、でん粉原料として生産が拡大し、昭和50年代以降、生食用や加工食品用も増加しました。馬鈴しょは労働力不足や収益性の低下などにより、近年は他作物への転換などが進み作付けが減少傾向で、令和元年産の作付面積は4万9,600haとなりました。元年は降水量が少なく植え付け作業は順調に進み、一部地域で5月中旬に強風による影響を受けたものの、その後は天候に恵まれ収穫作業は順調に進み、収穫期は平年より早まりました。10a当たりの収量は平年対比106％の3,810kg、収穫量は189万tでした。

品種別の作付面積は、生食用は「男爵薯」「メークイン」、加工用では「トヨシロ」、でん粉原料用は「コナフブキ」が中心ですが、ジャガイモシストセンチュウ抵抗性品種への転換も進められており、食味に優れた生食用品種やポテトチップ用の「きたひめ」、サラダ適性を持つ業務用向けの「さやか」などの作付けが増加しています。またでん粉原料用品種も、近年コナフブキ並みの収量性を有する品種が登場しており、抵抗性品種への早期転換に向けた取り組みが進められています。

てん菜

てん菜は明治初期に勧農政策の一環として導入され、官営製糖工場も建設されましたが、戦前は大きな進展には至りませんでした。戦後、輪作体系の中核的な作物として奨励されたことで、広がりを見せていくことになります。国内でも北海道だけで栽培され、国内産供給量の約8割を占める重要な砂糖原料です。てん菜は寒さに強く、寒冷地畑作の基幹作物として重要であるばかりでなく、副産物のビートパルプ（製糖かす）は家畜の飼料などとして利用されています。

てん菜の作付面積は、生産者の高齢化や経営規模の拡大に伴う労働力不足に加え、他品目への作付転換などにより減少しており、元年産は5万6,700haと前年産を600ha下回りました。

また、てん菜の作付け農家戸数は年々減少し、平成12年の3分の2以下となる一方、1戸当たりの作付面積は8.3haと約1.4倍になっています。

令和元年産の10a当たりの収量は平年を大きく上回る7,030kgとなり、昭和61年の糖分取引以降、過去最高となりました。収穫量は前年比37万5,000t増の398万6,000t。根中糖分は16.8％、産糖量は約65万tとなりました。

● いんげんの作付面積と収穫量の推移

■作付面積

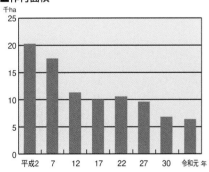

■収穫量

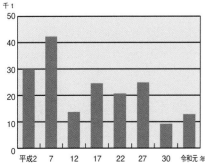

資料:農林水産省「作物統計」

● 馬鈴しょ（春植え）の作付面積と収穫量の推移

■作付面積

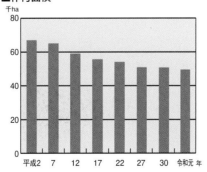

■収穫量

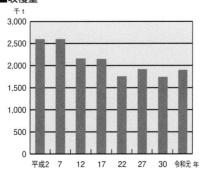

資料:農林水産省「作物統計」

● てん菜の作付面積と収穫量の推移

■作付面積

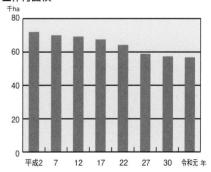

■収穫量

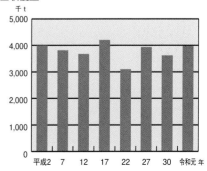

資料:農林水産省「作物統計」

かぼちゃも全国 No.1 の生産量

広い農地でつくられるたまねぎ

園芸・その他

野菜

　日本国内の野菜生産は、生産者の高齢化による労働力不足、資材費や輸送費の高止まりによる生産コストの上昇などにより、生産者の作付け意欲が低下。そうした中、生産量は横ばいで推移してきましたが、平成30年の国内生産量は1,131万 t と前年に比べ3.4％減となりました。

　野菜の輸入は加工用途や中食、外食などの業務用途の需要増加に伴い17年度に過去最高を記録しましたが、その後、輸入食品の事故などを背景に21年度まで減少傾向で推移しました。しかし異常気象などにより22年度から国産野菜の価格が高騰したため、加工や業務用を中心に輸入量が再び増加に転じ、30年度は331万 t と前年に比べ5.8％増加しました。

　野菜は北海道農業の主要作目として、稲作や畑作との複合経営など、各地域の気候や土地条件、社会的条件などを生かした特色ある産地づくりが行われています。作付面積は4年をピークに減少傾向にありましたが、18年から22年までは畑作地帯での野菜の導入などから増加に転じました。ここ数年は労働力の確保難、市況の低迷などから減少傾向にあり、30年は前年に比べ923ha減の5万2,232haでした。

　野菜の農業産出額はここ数年増減を繰り返しており、30年は2,271億円と前年から157億円増加し、耕種部門の43.3％を占めています。

花き

　北海道の花き生産は、昭和40年代後半に水田転作作物として切り花が導入されたのを契機に、その後の需要拡大を受けて、60年代に入ってから道央や道南を中心とした全道の水田地帯で産地化が進みました。しかし、平成13年をピークに作付面積は減少傾向で推移しています。

　30年の北海道花きの作付面積は、

◉ 主要野菜の作付面積と収穫量の推移

■作付面積

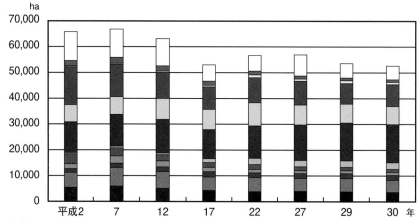

■収穫量

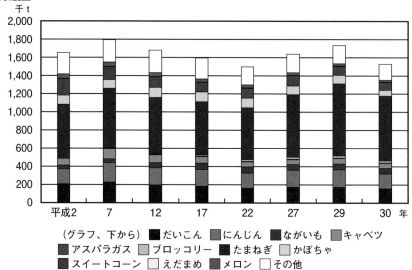

（グラフ、下から）■だいこん ■にんじん ■ながいも ■キャベツ
■アスパラガス ■ブロッコリー ■たまねぎ ■かぼちゃ
■スイートコーン ■えだまめ ■メロン ■その他

資料：農林水産省「作物統計」「野菜生産出荷統計」
注：面積の野菜計は農作物作付延べ面積の野菜から馬鈴しょを除いたもの

切り花類が463ha、鉢もの類、花壇用苗もの類はほぼ横ばいで17ha、28haとなっています。また30年の鉢もの類など含む産出額は、前年比2.2％減の131億円となりました。

　切り花類では、スターチス、カーネーション、ユリ、デルフィニウムおよびヒマワリの5品目が出荷量の上位を占めています。北海道の冷涼な気候のため、花の発色が鮮やかで市場評価が高く、また都府県の端境期に出荷できるなどのメリットがあり、出荷先は関東・関西市場を中心に道外移出が全体の約7割を占めます。

　近年、景気低迷や輸入花きの増加、生産資材や輸送コストの高騰など、花きを取り巻く情勢が厳しさを増しています。そんな中、北海道の花き産業の持続的な発展と文化の振興を図るため、28年3月に道として初めて「北海道花き振興計画」（目標年度・令和7年度）を策定しました。本計画の推進に向けて「北海道花き振興協議会」が中心となり、道内各地で花文化の展示や花育など道産花きの需要拡大の取り組みを展開しています。

果樹

　北海道の果樹生産は昭和40年代をピークに、りんごを中心に発展してきました。高齢化や労働力不足などから年々減少傾向となっていますが、果樹の栽培面積は平成29年から上昇に転じ、令和元年は2,517haとなりました。また、平成30年の農業産出額は54億円となりました。近年は消費者ニーズへの対応や観光果樹園の品目充実を図るため、栽培面積全体の8割以上を占めるりんご、ぶどう、おうとうに加え、機能性成分を豊富に含んだハスカップやブルーベリー、アロニアなどの小果樹の栽培も増えています。

　また醸造用ぶどう専用品種の栽培面積は全国第1位で、道内では栽培が難

ハスカップの実

そばの花

しいとされていたピノ・ノワールなど世界的に人気の高い品種の導入も進んでいます。小規模なワイナリー設立を希望する新規参入者も増え、令和2年3月現在、道内のワイナリー数は41カ所と、10年前の2.7倍となっています。

そば

　北海道のそばは風味など品質に優れ、平成23年度から農業者戸別所得補償制度の支援対象となって以降、年々作付けが拡大しています。令和元年産は2万5,200haで、主産地の空知や上川以外での増加が大きくなっています。10a当たり収量は77kg、収穫量は1万9,400ｔと、全国生産量4万1,200ｔの約5割を占めています。

特用作物の菜種

　地域特産物の資源として活用されるとともに、所得の確保や輪作体系の補完のため、地域で特色のある多様な作物が栽培されています。中でも菜種は花による景観形成のほか、子実を主に菜種油として加工、流通できることから作付面積が増加しています。

● 花き（切り花類）の作付面積、出荷量の推移
■作付面積

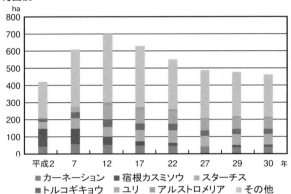

● そばの作付面積、収穫量の推移
■作付面積

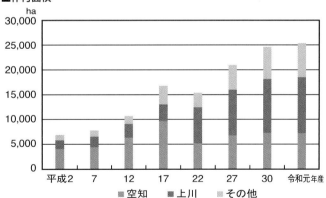

■出荷量

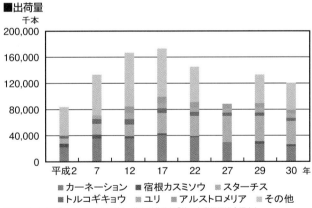

資料：農林水産省「花き生産出荷統計」、北海道農政部「花き産業振興総合調査」
※平成25年以降、宿根カスミソウはその他に含む

● 果樹の栽培面積の推移

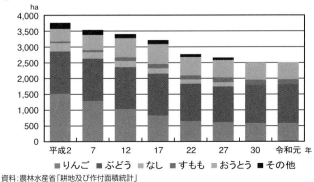

資料：農林水産省「耕地及び作付面積統計」

■収穫量

資料：総数は農林水産省「作物統計」、総合振興局・振興局別内訳は農産振興課調べ

酪農

北海道の酪農は、明治6年に開拓使がアメリカから招へいした「北海道酪農の父」エドウィン・ダンにより基礎がつくられました。その後、明治23年にホルスタイン種が導入され、昭和に入って乳牛飼育が本格化しました。戦後、食生活の変化に伴う牛乳や乳製品需要の拡大を背景に、飼料基盤や近代化施設の整備が進められ、酪農経営は急速に近代化・大型化し、1戸当たりの飼養頭数や生乳生産量はほぼ順調に増加しています。平成31年2月1日現在の乳用牛飼養農家戸数は前年と比べ170戸減の5,970戸、飼養頭数は前年比1.3％増の80万1,000頭、1戸当たりの飼養頭数は前年比4.2％増の134.2頭に上っています。

令和元年度は天候に恵まれ、また増産に向けた生産基盤強化対策の実施などによって、北海道の生乳生産量は409万1,890tとなり、初めて400万tを上回りました。全国シェアは約56％と生乳の安定供給に対する北海道の役割と責任はますます高まっています。

生乳輸送船の就航など輸送体制の強化が図られ、生乳の道外移出量は平成14年度の52万7,701tが過去最高でした。近年は、北海道の工場でパックされた、いわゆる「産地パック」などの飲用牛乳の道外移出が着実に伸びています。令和元年度の生乳道外移出量は平成14年度を上回る53万t、飲用牛乳等は39万tとなる模様です。

増える乳用牛の1戸当たり飼養頭数

牛乳・乳製品需要の動向

生乳は全国の生産量の5割以上が飲用牛乳等向けで、その消費動向は全体の需給に大きな影響を与えています。一方、鮮度が求められる飲用牛乳と違い、脱脂粉乳やバターなどの乳製品は長期保存が可能なため、加工用途向けの生乳処理は需給調整弁としての重要な役割を担っています。

令和元年度は国内の飲用牛乳需要が堅調であったものの、新型コロナウイルス感染症の拡大による外食・ホテルなどの業務用需要の低下や学校給食の休止の影響もあり、北海道の飲用牛乳等向けの生乳処理量は前年比0.7％減の約56万tとなりました。一方、保存性の高い脱脂粉乳やバターに加工される量が急増し、在庫数量は前年比21.7％増の2万

8,800tとなり、このため乳製品向けの生乳処理量は3.2％増の約298万tとなりました。国内の脱脂粉乳は元年度の生産が需要を上回り、在庫数量も前年に比べ16.3％増加し7万6,300tとなり、9年ぶりに7万tの大台を超えました。今後、新型コロナウイルス感染症による在庫数量への影響が懸念されます。

良質乳の継続的な生産

消費者の食の安全・安心志向が高まる中、乳業者や関係機関・団体は良質な生乳を提供するため、平成14年度に抗菌性物質残留事故の防止に向けた検査体制を整備し、15年度からHACCP的手法を導入した衛生管理を農場で推進しています。18年度にはポジティブリスト制度に対応した生産者段階での生産履歴の記帳・記録の徹底、バルククーラー

● 乳用牛飼養頭数の推移

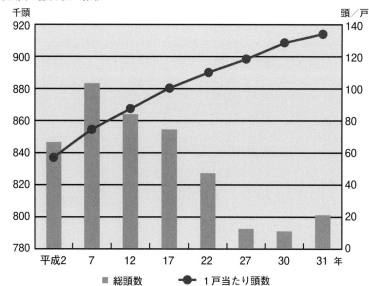

資料：農林水産省「畜産統計」 注：各年2月1日現在

● 生乳生産量の推移

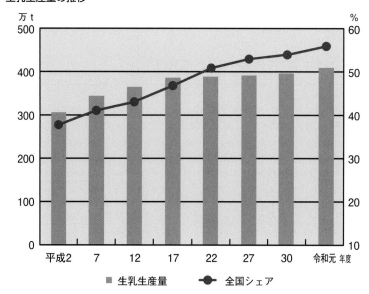

資料：農林水産省「牛乳乳製品統計」（令和元年度は概算値）

（搾乳機に接続された、生乳を一時貯蔵する冷却器付きタンク）自記温度計の設置など、安全・安心な生乳生産や供給体制の構築のためのトレーサビリティーシステムを運用しています。こうした積み重ねで、関係者の乳質改善への意識や技術は着実に向上し、令和元年度は生菌数1.4万／mℓ以下の割合が98.2％、体細胞数30.4万／mℓ以下の割合が98.4％と北海道生乳の品質は高い水準を維持しています。

　国は畜産経営の安定に関する法律を改正して平成30年4月1日に施行し、加工原料乳生産者補給金制度を恒久的な制度として位置付けました。これにより、指定生乳生産者団体に出荷する酪農家のみに加工原料乳生産者補給金を交付する仕組みから、指定団体以外に出荷する酪農家にも補給金が交付されるように改められました。また、集送乳を行う事業者を全て「指定事業者」として、集送乳調整金が交付されることになりました。

　北海道唯一の指定事業者のホクレンが乳業メーカー各社と生乳取引交渉した結果、令和2年度の取引価格は、全用途で据え置きとなりました。また、取引価格と生産者補給金などを合わせた2年度の生産者平均乳価は、入札中止の影響もあり0.67／kg下落し100.83円／kg程度となることが見込まれています。

● 生乳と飲用牛乳等の道外移出量

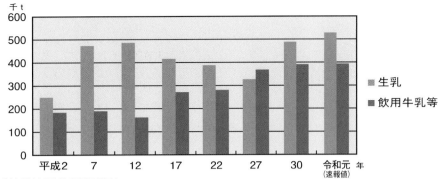

資料：農林水産省「牛乳乳製品統計」

● 生産者乳価の推移と見込み

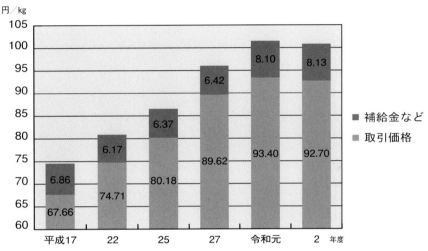

資料：ホクレン調べ
注：1）平成25年度までは消費税相当額は5％。26年度以降は8％。令和元年度10月から10％
　　2）令和2年度は現状での試算

● 乳質の推移

（単位：%）

	平成2年度	7年度	12年度	17年度	22年度	29年度	30年度	令和元年度
乳脂肪分率	3.7	3.9	3.99	4.02	3.94	3.96	3.96	3.97
無脂乳固形分率	8.5	8.6	8.74	8.77	8.74	8.79	8.79	8.78
生菌数10.4万／mℓ以下	98.9	99.6	100.0	100.0	100.0	100.00	100.00	100.00
生菌数1.4万／mℓ以下	―	―	90.80	98.50	98.70	98.50	98.40	98.20
体細胞数30.4万／mℓ以下	93.2	93.0	82.90	97.70	98.30	98.60	98.40	98.40

資料：（公社）北海道酪農検定検査協会「合乳検査成績」（令和元年12月分までの平均）

悲願達成！　生乳生産400万t突破！

　北海道の生乳生産量は平成元年度に初めて300万tを達成し、20年度に390万tに達して以降は横ばいで推移してきました。そして新たな元号となった令和元年度に初めて400万tの大台を達成しました。

生産者、道、関係機関・団体が一丸となり目標達成

　平成28年3月に策定した「第7次北海道酪農・肉用牛生産近代化計画」で生乳生産量400万tを目標に掲げるなど、これまで生産者をはじめとする酪農関係者が一丸となって目標達成に向けて取り組んできました。

　猛暑や配合飼料価格の高止まり、国際貿易交渉の進展を受けた将来不安による投資意欲の減退などの影響もあって400万tの壁を越えられずにいましたが、畜産クラスター事業などを効果的に活用した生産性の向上や良質な自給飼料の生産拡大、酪農ヘルパーなどによる家族経営のサポート、多様な担い手の育成・確保などを、道や関係機関・団体が一体となって積極的に推進することでついに目標を達成することができました。

　また道は公益社団法人北海道酪農検定検査協会とともに、生産現場に直接赴いての情報提供や、青年・女性農業者を対象とした研修会などにも取り組んできました。こうした地道な取り組みや関係機関・団体の支援策などの成果もあり、乳用後継牛の頭数や死産の発生件数は改善傾向を示し、400万t達成に貢献しています。

　今後も、北海道酪農に対する安全・安心で良質な牛乳・乳製品の安定供給といった大きな期待に応えられるよう次の新たなステージに向けて、引き続き関係者一丸となって取り組む方針です。

生産現場での情報提供

研修会の開催など積極的に取り組む

畜産

肉用牛

特定病原菌を持たない SPF 豚

肉用牛

　平成30年度の牛肉需給量（部分肉ベース）は93万tで、うち国産が33万t、輸入が60万1,000tを占めています。30年の枝肉生産量は全国で47万5,300t、うち北海道の生産量は9万1,500tで全国1位（全国シェア19.2％）です。品種別生産量は肉専用種が6,900t（全国シェア3.2％）、ホルスタイン種の雄牛とホルスタイン種に黒毛和種を掛け合わせた交雑種（以下乳用種）が8万4,500t（全国シェア32.7％）。道内の枝肉生産量の92％を乳用種が占めています。牛肉の価格は、東日本大震災の影響などから一時下落しましたが、以降は需要の回復や国内

出荷頭数の減少により令和元年度までは全品種、高値で推移しています。
　平成30年にTPP11、31年に日EU・EPA、令和2年に日米貿易協定がそれぞれ発効し、関税率が段階的に引き下げられます。平成28年に可決した「肉用牛肥育経営安定特別対策事業（牛マルキン）」は新たに改正畜安法に基づく「肉用牛肥育経営安定交付金制度」として実施されることになり、補塡（ほてん）率は9割へと引き上げられました。

豚

　31年2月1日現在の北海道の豚飼養頭数は69万1,600頭、1戸当たり頭数は3,440.8頭と増加しています。30年の枝肉生産量は全国で128万

4,200t、そのうち北海道の生産量は9万200tで、昨年からわずかに増加しています。価格は牛肉の小売価格の上昇による代替需要などで引き合いが強く、高値が続いています。

鶏

　31年2月1日現在の北海道の採卵鶏飼養羽数（成鶏雌）は523万羽、鶏卵生産量は10万3,000tと、鶏卵生産量は道内需要をほぼ賄う10万～11万t前後で推移しています。鶏肉生産は昭和60年代初めに本州企業が進出し、大規模なブロイラー（肉用若鶏）生産が開始され、平成30年のブロイラー出荷羽数が3,828万羽と、全国第5位の食鳥生産地となっています。

● 肉用牛飼養頭数と牛枝肉生産量の推移

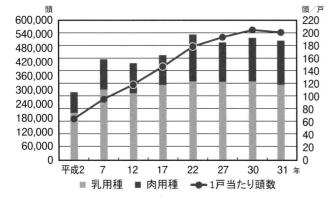

凡例：■ 乳用種　■ 肉用種　●─ 1戸当たり頭数

● 豚の飼養頭数の推移

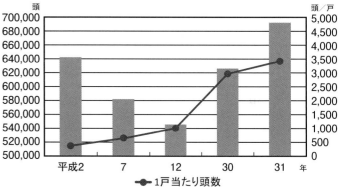

凡例：●─ 1戸当たり頭数

■ 枝肉生産量

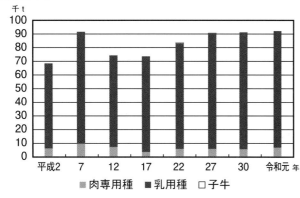

凡例：■ 肉専用種　■ 乳用種　□ 子牛

● 採卵鶏の飼養羽数（成鶏雌）の推移

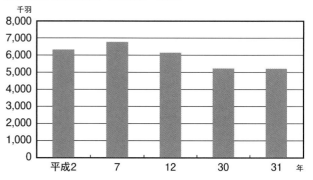

資料：農林水産省「畜産統計」

資料：農林水産省「畜産統計」「食肉流通統計」

採卵鶏

頭部が黒いサフォーク種のめん羊

軽種馬牧場は観光資源にも

めん羊

　北海道は全国のめん羊飼養頭数の約6割を占める全国第1位の産地です。昭和30年代の羊毛、羊肉輸入自由化により一時は5,000頭を割り込むまでに飼養頭数が激減しましたが、近年はヘルシー志向の国産羊肉人気を背景に増加に転じています。平成31年2月1日現在では飼養戸数200戸、飼養頭数1万2,271頭となっています。

　めん羊は手づくり羊毛製品の独特のぬくもりや、親しみやすい家畜として観光牧場で飼養されるなど、有形無形の価値を持つ家畜であるため、多目的な活用が期待されています。

軽種馬

　北海道は全国の軽種馬生産頭数の9割以上を占める主要産地となっており、その生産のほとんどは日高、胆振管内を中心に行われています。特に日高管内では全道の軽種馬生産の約8割を占め、産地の地域経済を支える基幹産業となっています。

　種雌馬飼養戸数は競馬の発売額の減少や地方競馬の撤退などにより昭和50年（2,064戸）以降減少傾向にあり、令和元年は738戸となっています。種付種雌馬飼養頭数は前年より微増の9,768頭、生産頭数は7,223頭となっています。

飼料作物

　道内では、優良な牧草品種の普及や草地の植生改善、サイレージ用とうもろこし作付け拡大が推進されています。飼料作物の牧草やサイレージ用とうもろこしの作付面積は近年横ばいで推移しており、元年は前年と比べ、牧草が800ha（0.1%）減の53万2,800ha、サイレージ用とうもろこしが800ha（0.1%）増の5万6,300haで、全体は58万9,100haでした。

　10a当たり収量は、牧草が3,270kg（対前年比100.9%）、サイレージ用とうもろこしが5,530kg（対前年比113.8%）となっています。

● めん羊の飼養頭数の推移

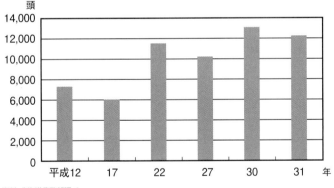

資料：北海道農政部調べ

● 飼料作物の作付面積の推移

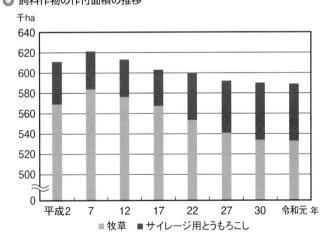

牧草　■サイレージ用とうもろこし

● 軽種馬の生産頭数の推移

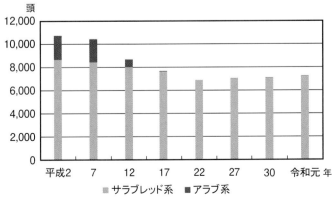

サラブレッド系　■アラブ系

資料：日本軽種馬協会・日本軽種馬登録協会「軽種馬統計」

● 飼料作物の生産量の推移

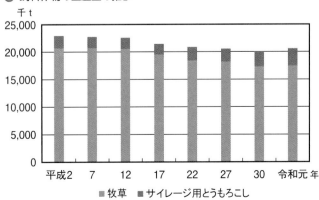

牧草　■サイレージ用とうもろこし

資料：農林水産省「作物統計」

農産物
の
流通・加工・販売

● 主な農産物などの道外移出率

（単位：%）

区分	平成26年	27年	28年	29年	30年
米類	65.4	64.9	67.1	67.4	69.9
麦類	80.0	79.9	78.9	79.4	81.2
でん粉	85.2	82.4	84.2	82.9	82.5
砂糖	88.2	89.1	90.0	89.0	90.1
野菜	73.3	69.3	74.8	73.6	67.7
乳製品	73.8	73.8	73.7	74.6	76.3
花き（切り花）	73.1	75.2	74.2	71.2	70.4

資料：国土交通省北海道開発局「農畜産物及び加工食品の移出実態調査結果報告書」
注：区分の「年」は当該農畜産物の出荷年

主体は道外出荷

北海道の農畜産物および加工品は、道外への販売が大きなウエートを占めており、主な出荷先は、関東や東海、近畿地域の大都市圏が大半です。

輸送手段は鉄道とトラックがほとんどを占めていて品目別に見ると、米類は鉄道やトラック、フェリー、麦類は内航船舶、生乳や乳製品はトラック、フェリー、また、鮮度が求められる花きや野菜、重量当たりの単価が高いメロンなどの品目は航空機を利用する場合もあり、品目に応じて使い分けられています。

製造品出荷額は全国第1位

北海道の食料品製造業は、製造品出荷額で全国第1位。平成29年の道内全製造業に占める製造品出荷額の35.5%、事業所数34.1%、従業員数の46.1%を占め、北海道の重要な基幹産業となっています。

しかし事業所の大部分が従業員数300人未満の規模であり、低次加工や素材供給型の業種が多いのが特徴です。このため、全国の食料品製造業や道内の全製造業と比較すると、製造品出荷額に占める原材料費の比率が高く、付加価値率や労働生産性が低い状況です。

販路拡大の取り組み

北海道ブランドの価値を高めるためには有機農産物、YES! clean農産物、道独自認証品など安全性と品質が優れた食品を積極的にPRし、道産農産物の消費拡大を図ることが必要です。

このため、道が推奨するこれらの安全・安心な道産食品のほか、産直農産物および農産加工品に関する情報を総合的に紹介する「北海道産食材お取り寄せガイド」をホームページで公開するなど、実需者や消費者に広くPRしています。また、道外で道産農産物を活用した料理を提供し、道産食材の魅力を伝える外食店や宿泊施設を「北海道愛食大使」として認定（令和2年3月末現在291店舗）しています。

さらに近年、海外での道産農産物、北海道ブランドの人気が高まっています。道と農業団体などで構成する「北海道農畜産物・水産物海外市場開拓推進協議会」はアジアを中心に、現地調査、物産展開催、現地バイヤー招へいなど、道産農畜産物のPRに取り組んでいます。

元年に北海道から輸出された農畜産物は総額40億円となり、品目別に見ると、ながいもが13億3,300万円と多く、次いでLL牛乳などのミルク9億9,500万円、米5億3,400万円、日本酒3億4,800万円、たまねぎ3億4,000万円と、この5品目で89%を占めます。道は、平成30年12月に道産食品の輸出額1,500億円を目指す「北海道食の輸出拡大戦略（第Ⅱ期）」を策定し、農畜産物などの輸出額を125億円に拡大する目標を掲げました。

農商工連携の取り組み

国は地方の元気を取り戻し、活力ある経済社会を構築するためには、地域経済の中核を成す中小企業者や農林漁業者の活性化を図ることが重要であるとして、20年5月に「中小企業者と農林漁業者との連携による事業活動の促進に関する法律」（農商工等連携促進法）を制定しました。

これにより、農林漁業者と中小企業者が1次、2次、3次といった産業の壁を越えて有機的に連携し、互いのノウハウ、技術を活用して行う新商品の開発や販路開拓などの取り組みを行う場合に支援を受けることができます。

北海道では農林水産団体、経済団体、道や国などの行政機関で構成する「北海道地域農商工連携協議会」を20年7月に設置。これまでに、構成団体の農商工連携関係施策の取り組み計画、実施などについての情報交換を行うとともに、北海道農商工連携フォーラムを開催するなどして推進に努めています。また、農林漁業者と中小企業の連携による事業化取り組みに助成する北海道農商工連携ファンドが21年8月に組織され、令和2年3月末までの間、農林漁業者と中小企業者などとの連携体がそれぞれの経営資源を活用して行う新商品・新サービスの開発や販路開拓などの取り組みに対し、ファンドから助成金を交付して支援してきました。

食クラスター活動の推進

食に関わる幅広い産業と大学や試験研究機関、関係行政機関、金融機関などの関係機関（産学官金）が連携・協働し、北海道ならではの食の総合産業の確立に取り組む「食クラスター」活動の全道的な推進母体として、平成22年5月に道や北海道経済連合会、北海道農業協同組合中央会などが共同事務局となり、「食クラスター連携協議体」が発足しました。道経済連合会、JA道中央会、道経済産業局、道農政事務所、北海道が共同事務局となり、令和元年12月末までに2,196の企業・団体などが参画し、高付加価値化やマーケティング、販路拡大、道内外からの投資促進などに向けた取り組みなどが提案されています。

また、総合振興局・振興局も、各地域での食クラスター活動としてさまざまなプロジェクトを通し、売れる商品づくり、地域の雇用、所得、人材確保など、自立した地域社会の実現に取り組んでいます。

北海道フード・コンプレックス国際戦略総合特区

札幌市、江別市、帯広市・十勝管内18町村、函館市、道経済連合会は、平成23年9月、国の新成長戦略に基づく総合特区制度として「北海道フード・コンプレックス国際戦略総合特区」を共同提案し、12月に国から指定を受けました。この特区構想では、農・水産・環境の一体的な取り組みにより安全・安心な食の生産基盤を確立し、生産性と付加価値を向上し国際競争力の強化を推進することとしています。これまでフード特区として提案した全70件の規制や制度の特例措置のうち、34件が国との協議を終え、「北海道食品機能性表示制度（ヘルシーDo）の創設」「農業車両の車検期間伸長」などが実施されています。

東京オリンピック・パラリンピックへ、食材提供と販路拡大を目指しフェア開催

東京2020に向けた推進体制とPR作戦

　道は、東京オリンピック・パラリンピック2020競技大会について、北海道の豊かな農林水産物をアピールし、食の北海道ブランドの一層の強化を図る絶好の機会と捉え、同大会への食材供給を推進することとしています。平成29年6月に農林水産関係団体で構成する「2020年東京オリンピック・パラリンピック道産農林水産物供給北海道協議会」を設立し、道産食材の同大会への供給と大会を契機とした販路拡大を2本柱とするPR作戦の下、さまざまな資材なども活用しながらPR活動に取り組んでいます。

各種PR資材

道産食材の魅力発信

　道は令和元年8月26日から9月1日の1週間、東京都内のGAP食材を使ったビュッフェレストランで、「食王国・北海道フェア〜東京2020、その先の道へ〜」を開催しました。道産食材の魅力を多くの人に知っていただくことが目的です。

　フェア初日のオープニングセレモニーには、実際に選手村の飲食提供を担うケータリング事業者などの大会関係者をはじめ、ホテル・レストラン関係者など約70人が参加。東京大会の調達基準を満たしたGAPなどの道産食材をふんだんに使い、選手村での提供を意識したシンプルな料理を提供したほか、生産者による食材のPRなど道産食材の魅力を伝えました。

食王国・北海道フェアのオープニングセレモニーで魅力を伝える

農業を巡る国際情勢

WTO農業交渉

WTO農業交渉とは、WTO（世界貿易機関）で進められている、農産物の市場アクセスや輸出競争、国内支持のあり方について新しい枠組みを決める交渉です。関税や国内補助金の削減、輸出補助金の撤廃などに関して話し合われていますが、平成29（2017）年の第11回閣僚会議で議論がまとまらず、その後は非公式閣僚会合で議論が継続しています。

EPA／FTAの拡大

WTO交渉が停滞する中、世界的に2カ国間（または数カ国間）でEPA（経済連携協定）やFTA（自由貿易協定）を締結する動きが急速に拡大しています。日本も31（2019）年2月1日に発行した日EU・EPAをはじめ、これまで18のEPA・FTAが発効・署名されています。現在、イギリス、コロンビア、トルコとのEPA、さらにアジア太平洋地域における広域経済連携の取り組みとして、日中韓FTAやRCEP（ASEAN、日本、中国、韓国、オーストラリア、ニュージーランドおよびインドの16カ国による東アジア地域包括的経済連携）などの交渉が進められています。

TPP協定を巡る動き

TPP（環太平洋パートナーシップ）協定は、アジア太平洋地域における高い水準の自由化を目指し、シンガポール、ニュージーランド、チリ、ブルネイ、アメリカ、オーストラリア、ペルー、ベトナムの8カ国で22（2010）年に交渉を開始しました。その後、マレーシア、メキシコおよびカナダが加わり、25（2013）年には日本が参加。最終的に12カ国で交渉が行われ、27（2015）年の大筋合意を経て、28（2016）年にニュージーランドで署名式が開かれました。

29（2017）年にはアメリカがTPPからの離脱を表明しましたが、同国を除く11カ国で早期発効に向けた議論が進められ、ベトナムで開催された閣僚会合で新しい協定（CPTPP協定、以下「TPP11協定」）が大筋合意に至り、30（2018）年3月にチリで署名式が行われ、12月30日に発効されました。

日米貿易協定

アメリカがTPPから離脱を表明した後、30（2018）年9月の日米首脳会談において日米物品貿易協定交渉の開始が合意されました。

31（2019）年4月に本格的な議論が始まり、閣僚会合・首脳会談などを経て令和元（2019）年9月の日米首脳会談で協定の最終合意を確認。10月に署名し、2（2020）年1月1日に発効しました。

国際貿易交渉への対応

この数年で国際貿易協定が相次いで締結され、発効に至りましたが、道をはじめ関係18団体で構成する「北海道農業・農村確立連絡会議」では、その交渉過程から現在までの間、国に対して北海道農業・農村の立場を明らかにしつつ必要な要請を行ってきました。

また、道はそれぞれの協定が北海道の農林水産業に及ぼす影響について、国の算出方法に即して試算を行い公表してきました。

今後は、協定の発効による農業への影響を継続的に検証するとともに、「総合的なTPP等関連政策大綱」に基づき、体質強化や経営安定、輸出の拡大に向

● 国際農業交渉に係る主な動き（令和元年度）

年月日	国の動き	道の動き
平成31.4.11		日米物品貿易協定交渉等に関する緊急要請 ［※］
4.15	第1回日米物品貿易協定交渉	
令和元.7.29		国の農業政策に関する提案 ［北海道］
8.19		日米貿易交渉に関する緊急要請 ［※］
9.25	日米貿易協定の最終合意を確認	
9.26		日米貿易交渉に関する緊急要請 ［※］
9.27		第10回北海道TPP協定等対策本部会議
10.1	「総合的なTPP等関連政策大綱改訂に係る基本方針」を決定	
10.7	日米貿易協定署名	
10.18	「日米貿易協定の経済効果分析等（暫定値）」を公表	
10.23		「日米貿易協定の合意に伴う北海道における影響中間取りまとめ」を公表
10.28 30		総合的なTPP等関連政策大綱改訂に関する緊急要請 ［※］
10.29	「日米貿易協定の経済効果分析」を公表	
11.19		「日米貿易協定による北海道への影響について」公表
11.22		国の農業政策に関する提案 ［北海道］
12.4	参議院本会議において日米貿易協定承認案が可決、承認	
12.5	「総合的なTPP等関連政策大綱」を改訂	
12.13	令和元年度補正予算案を閣議決定	
12.20	令和2年度当初予算案を閣議決定	
令和2.1.1	日米貿易協定発効	
2.20		TPP等関連対策北海道予算案を公表

注：［　］は要請主体。※は、北海道農業・農村確立連絡会議（18団体）とともに、道内水産業関連団体（2団体）および道内林業・木材産業関連団体（2団体）による要請

けて予算を確保するなど、万全な対策を講じることを国に求めていくこととしています。

在留資格「特定技能」の創設

深刻化する労働力不足に対応するため、農業など14の産業上の分野において、一定の専門技能を有し即戦力となる外国人材を受け入れる「特定技能制度」が平成31（2019）年4月に開始しました。

特定技能制度による外国人材の受け入れ人数は、国が設定した農業分野の5年間で最大3万6,500人に対し、令和元（2019）年12月末時点で292人と1％未満となっており、道内では48人が受け入れられています。今後、外国人材の受け入れが進むと見込まれていますが、制度の活用に向けて地域における必要なノウハウの蓄積と共有が課題となっています。

また北海道の農業生産現場では「外国人技能実習制度」を活用し、多くの外国人技能実習生が先進的な技術を学び、習得するための農作業を通じて、地域農業の振興にも貢献しています。平成30（2018）年は道内で1万32人の実習生を受け入れており、そのうち農業分野は約3割に当たる2,765人で、17の農業協同組合が監理団体として568人の受け入れを行っています。

部門別に見ると、酪農が1,409人（51％）、施設園芸が1,002人（36.2％）となっており、この2つの部門で9割近くを占めています。地域別には十勝地域で最も多い478人、続いて上川地域が450人、オホーツク地域が342人となっています。

海外研修を通して大きく成長

大学で有機農業や自然農法を学ぶ、小松田結生さん（石狩市出身）は、北海道農業公社が実施する海外農業研修（平成30年8月～平成31年3月までの約半年間）に参加しました。海外の環境に配慮したさまざまな農業を見て、より広い視野で農業を学んできました。

研修レポート～小松田さん

元来、内気な性格のため初対面でのアプローチや自分の意見を述べる場面で苦労がありましたが、多くの出会いを重ね、それも徐々に楽しめるようになりました。研修期間中は、小規模有機農場での野菜の生産・販売をはじめ、自然と共生する暮らしを体験したり、市民農園の管理や地域のプロジェクトに参加したりと、興味の赴くままに人や場所を訪ね、数多くの経験を積みました。人とのつながりや自然環境を大切にするニュージーランドならではの取り組みに触れ、今まで目を向けることのなかった農業の持つ新たな側面を知ることができました。

帰国後は大学での学びに対して、自分なりの視点を持って臨むことができるようになりました。また、研修を経て視野が広がったことで、より多くのことを「見たい」「知りたい」という意欲が生まれ、学習も能動的になりました。現在は、卒業後の進路を考えており、今後も海外研修で磨いた行動力や吸収力を生かしながら、農業を通して人や環境に貢献する方法を模索し続けたいと考えています。

3カ月間研修した有機農場のホスト

クリーン農業

クリーン農業技術の開発と普及

北海道は、環境に優しい持続可能な農業を展開し、食料の安定供給とともに、食の安全・安心を求める消費者ニーズに応えながら、品質の高い農畜産物の生産に努めることが求められています。

道は平成3年度から「クリーン農業」を提唱し、関係機関・団体と連携して、環境との調和に配慮した農業の推進に取り組んできました。地方独立行政法人北海道総合研究機構（道総研）農業研究本部と連携して、有機物の施用などによる健全な土づくりや化学肥料、化学合成農薬の使用を必要最小限にとどめる技術の試験研究を進め、これまでに410件のクリーン農業技術を開発しています。28年度の農薬・主要肥料の出荷量を、クリーン農業がスタートした3年度に比べると、単位面積当たりで主要肥料42.3％、農薬39.1％の減少となりました。

さらに19年度からは、化学肥料や化学合成農薬の使用を5割以上削減する「高度クリーン農業」の技術開発に着手し水稲、秋まき小麦、馬鈴しょなど14作物で28件の高度クリーン農業技術が開発されています。

YES! clean農産物の生産と流通拡大

クリーン農業技術の活用により環境に配慮して生産された道産農産物を、消費者や実需者に分かりやすく伝えるため、北海道クリーン農業推進協議会は12年に「北のクリーン農産物表示制度」（YES! clean表示制度）を創設しました。

この制度は、クリーン農業技術を導入し一定基準を満たした道産農産物を対象にYES! cleanマークと併せて栽培情報を表示して消費者へ知らせる北海道独自の制度です。15年度からは消費者により分かりやすくするため、化学肥料の使用量、化学合成農薬の成分使用回数を表示しています。

YES! clean表示制度に取り組む登録集団は令和2年3月末現在で257集団。水稲、馬鈴しょ、トマト、かぼちゃ、たまねぎなど50作物が、1万7,424haに生産されており、道内のみならず道外の消費者や実需者にも届けられています。また平成23年度から、YES! clean農産物を原材料とする加工食品もマークの表示対象に拡大され、納豆、ぜんざい、シフォンケーキなど10社32商品が登録されています。

令和2年3月に策定した「北海道クリーン農業推進計画（第7期）」では、環境保全効果の消費者理解や生産者への啓発を促進するとともに、地域条件に即した栽培技術の普及などにより、環境と調和した持続可能なクリーン農業のさらなる取り組み拡大を推進しています。

有機農業の推進

有機農業は①化学肥料や農薬を使用しない②遺伝子組み換え技術を利用しない—ことを基本として、環境への負荷をできる限り低減する農業生産の方法です。北海道農業の持続的な発展を図っていく上でも重要な農業形態の1つであることから、道は平成17年3月に制定した「北海道食の安全・安心条例」に、有機農業の推進を位置付けています。

国は、有機農業の確立と発展を図ることを目的に「有機農業の推進に関する法律」の施行を受け、19年4月に「有機農業の推進に関する基本的な方針」を策定し、有機農業を総合的に推進してきました。26年4月には同方針を改定し、有機農業の一層の拡大を図ることとしています。

30年3月末現在、道内で有機農業に取り組んでいる農家のうち、有機JASの認定を受けている農家は281戸で、販売農家の0.8％。道は「環境保全型農業」を先導する取り組みという観点から法律に基づき、20年3月に「北海道有機農業推進計画」を策定し、有機農業の普及・推進に努めてきました。しかし、有機食品の市場規模の拡大傾向など、有機農業を取り巻く情勢を踏まえ、29年度から5カ年を計画期間とする第3期計画を策定しました。第3期計画は、生産面として「有機農業に参入しやすくなり、経営が安定的に継続」、消費面として「有機農業に対する消費者の理解が広がり、有機農産物などのニーズが拡大」の2つの"目指す姿"を掲げ、実現に向けた施策を進めていくものです。

具体的には、有機農業技術の開発・普及、有機農業経営の実践的な情報の整理・提供、有機農業者間のネットワーク活動充実などによる参入・定着の促進、有機農業を移住定住施策に生かそうとす

● 単位面積当たりの農薬・主要肥料出荷量の推移

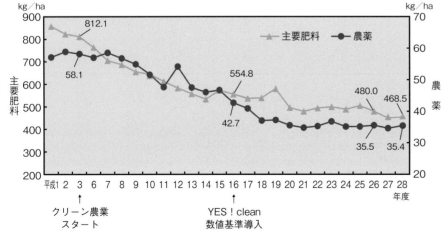

資料：農林水産省「耕地及び作付面積統計」、農協統計協会「ポケット肥料要覧」、（財）日本植物防疫協会「農薬要覧」
注：1）主要肥料とは硫安、尿素、塩安、石灰尿素、高度化成などの12種類
　　2）農薬とは殺虫剤、殺菌剤、殺虫殺菌剤、除草剤、植物成長調整剤など
　　3）単位面積とは作付け延べ面積であり飼料作物を除く

クリーン農業技術を導入した農産物に表示されるYES! cleanマーク。マークとともに生産者名や連絡先、化学肥料や農薬の使用量、削減割合なども表示

る地域との連携などを進め、有機農業の取り組み面積の増加を目指しています。

また、消費面については、販路拡大のためのマッチングの促進、有機農業の意義や価値に関する情報発信、食育や農作業体験を通じた理解促進などの取り組みを進め、消費者の認知度の向上を目指しています。

環境に配慮した畜産の推進

家畜の飼養頭数が増加する中、家畜排せつ物を適正に管理し、生産した良質堆肥などを農地へ適切に還元して、環境に配慮した畜産を推進することが重要となっています。

道は、28年3月に策定した「北海道家畜排せつ物利用促進計画」に基づき、畜産農家自ら処理や施用における基本技術を励行しつつ、コントラクターなどの経営支援組織の活用、耕畜連携、指導者や農業者を対象とした技術研修への参加促進により、堆肥の利用促進を図っています。

また、市町村が策定している「市町村家畜排せつ物利用促進計画」の見直しを進めるなど、地域関係者が連携して取り組みを推進しています。

バイオマス資源の利活用

バイオマス（再生可能な生物由来の有機性資源。化石燃料は含まない）の有効活用は、地球温暖化対策や資源リサイクル、災害時に備えたエネルギー供給体制の強化（自立・分散型の導入）のほか、地域産業の発展や活性化にも寄与することが期待されています。

道内には家畜排せつ物をはじめとして、稲わらや麦かん、もみ殻の非食用部分など、さまざまな農業系バイオマス資源が存在しています。現在、その多くは堆肥として農地へ還元されていますが、バイオガスなどのエネルギー化の取り組みも進んでいます。

道は25年12月に「北海道バイオマス活用推進計画」を策定しました。各市町村のバイオマス活用の効果的な促進を図るため、道の関連支援施策の情報提供や先進事例、技術情報の交換が図れるように地域間のネットワーク構築の促進、民間や大学、試験研究機関などとの連携による研究開発を進め、施策の効果的な推進を図るとしています。

令和2年3月末現在、道内54市町村でバイオマス活用推進計画やバイオマス産業都市構想などが策定されており、元年度には八雲町がバイオマス産業都市に選定されました。今後、家畜排せつ物を活用したバイオガスプラントの設置に取り

組むなど、多様な取り組みが進められていきます。

農業用廃プラの適正処理

道の調査によると、施設園芸や育苗用ハウス、マルチ栽培やサイレージ用ラップフィルムなどで使用された後に廃棄される農業用廃プラスチックの量は近年、年間約2万3,000t前後で推移しています。農業用廃プラスチックは産業廃棄物であり、法に基づく適正な処理が求められます。平成28年度で見ると、プラスチックや燃料として再利用されているのが2万1,015t（全体の84％）ほどと算出されて

います。一方、依然として埋め立てされているものも2,392t（同9％）あることや、地域的なばらつきも目立つことが分かりました。

道は循環型社会の形成、農村環境保全の観点から「北海道農業用廃プラスチック適正処理対策協議会」と連携し、長期展張性フィルムや環境に悪影響を与えない低分子化合物に分解される生分解性マルチフィルム・ネットなどの代替資材の利用による排出量の削減を進めるとともに、集団回収体制の整備などによるリサイクルを基本とした適正処理を推進しています。

◉ クリーン農業技術の開発成果

区分	主な内容	成果数		うち高度クリーン農業技術
化学肥料の使用量を減らすための技術	施肥法の改善、施用有機物の評価 土壌生物活性化技術の開発	108 9	117	9 –	9
農薬の使用量を減らすための技術	要防除水準の設定、効率的防除法開発 化学合成農薬以外による防除技術開発 生物的防除、耕種的防除開発 農薬散布量の減量化 高能率防除機の開発・改良	86 41 42 6 6	181	11 5 – – –	16
品質評価・向上技術	品質評価法、簡易分析法の開発 品質向上栽培技術の開発 高品質貯蔵、保鮮技術の開発	20 28 2	50	–	–
環境負荷抑制技術	農地の養分フロー把握と負荷軽減技術開発 農地におけるガス発生抑制技術開発	25 8	33	–	–
家畜ふん尿の低コスト処理利用技術	低コストふん尿処理・利用技術の開発	15	15	–	–
総合経済評価	クリーン農業の経営経済的評価	14	14	3	3
合計			410		28

資料：道総研農業研究本部調べ（令和2年3月現在）

◉ YES! clean 表示制度の登録集団と YES! clean 農作物の作付面積

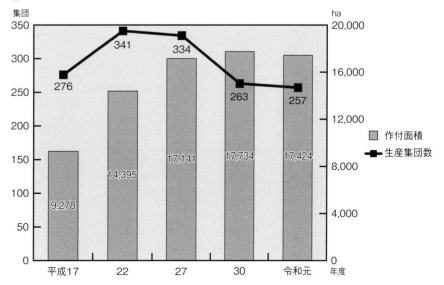

資料：北海道クリーン農業推進協議会調べ（令和2年3月現在）
注：生産集団数は登録取り消し集団を除いた実数

農業技術 の 開発・普及

道総研農業研究本部による技術開発

地方独立行政法人北海道立総合研究機構（道総研）は、競争力の高い品種の開発や、低コスト、省力栽培、クリーン農業技術など、農業に関する研究推進項目を定めた「中期計画」に則し、北海道農業研究センターや大学、農業団体、民間企業と連携して試験研究に取り組んでいます。令和元年度は次の成果を得ました。

稲作

自動操舵（そうだ）機能付き田植え機の作業精度を評価し、直進性は直線とずれが少ないことを明らかにしました。通常より株間を広げて田植えを行う「疎植栽培」と組み合わせることで、単収を維持したまま生産費の低減が可能になります。

栽培では移植前に無代かきとした場合、耕起作業後の圃場鎮圧と移植苗の植え付けを深くすることで欠株率が低減することを明らかにしたほか、田畑輪換後の畑地状態で土壌構造が破壊されず、大豆が増収することを示しました。

畑作

秋まき小麦で新品種「北見95号」を開発しました。北海道初の菓子用品種で、スポンジケーキやクッキーに適しています。国産小麦の需要が高まる中、道産原料にこだわった菓子の製造が期待されます。

また、そば新品種「キタミツキ」を開発しました。これまで道内で栽培されてきたキタワセソバよりも2割ほど多収で容積重が重いことから収量と等級格付けで有利とな

道総研農業研究本部および共同研究で開発した主要な新品種など

作目	品種名	特長	育成試験場	育成年
水稲	えみまる	多収、直播適性、低温苗立性強、良食味	上川	平成29
	そらゆたか	多収、耐冷性強、いもち病抵抗性強、耐倒伏性強、飼料用	中央	28
	きたしずく	大粒、多収、心白発現良好、耐冷性強	中央	26
	そらゆき	多収、いもち病抵抗性強、業務用途適性良好	中央	26
	きたふくもち	切りもち適性良、硬化性高、耐冷性極強、多収	上川	25
	きたくりん	いもち病抵抗性強、耐冷性強、良食味	中央	24
	ゆめぴりか	極良食味	上川	20
小麦	北見95号	菓子適性優	北見	令和元
	つるきち	中華めん適性、低アミロ耐性、硬質小麦	北見	平成24
	ゆめちから	超強力、中華めん・パン適性、縞（しま）萎縮病抵抗性	北農研	21
	きたほなみ	多収、日本めん適性良	北見	18
大豆	とよまどか	豆腐加工適性高、耐倒伏性強、低温障害耐性強	十勝	29
	スズマルR	白目、線虫抵抗性強、納豆加工適性高	中央	27
小豆	エリモ167	落葉病・萎凋（いちょう）病抵抗性、製餡（あん）適性良	十勝	29
	ちはやひめ	落葉病・茎疫病・萎凋病抵抗性、耐倒伏性優	十勝	28
いんげん	秋晴れ	金時、早生、多収、耐倒伏性強、煮豆・甘納豆加工適性	十勝	30
	かちどき	金時、中性、多収	十勝	29
	きたロッソ	炭そ病抵抗性、サラダ・スープ向け加工適性	十勝	29
そば	キタミツキ	多収、高容積重	北農研	30
馬鈴しょ	さらゆき	ポテトサラダ加工適性、線虫抵抗性強、多収	北見	30
	ハロームーン	線虫抵抗性強、多収、油加工（ポテトチップ）適性	北見	29
	パールスターチ	でん粉原料用、線虫抵抗性強、多収	北農研	27
	コナユタカ	でん粉原料用、線虫抵抗性強、多収	北見	26
	リラチップ	油加工（ポテトチップ）適性、線虫抵抗性強、長期低温貯蔵適性	北見	25
	コナユキ	線虫抵抗性強、でん粉品質高	北見	22
たまねぎ	スラリップ	加熱加工適性優、長球形質、剥皮加工歩留高、収量性優、貯蔵性高	北見	28
	ゆめせんか	加熱加工適性、乾物率高、Brix高	北見	24
メロン	おくり姫	赤肉、耐病性、良食味	花野菜[1]	27
やまのいも	とかち太郎	多収、えそモザイク病抵抗性中	十勝[2]	25
	きたねばり	高粘度、短根、えそモザイク病抵抗性強	十勝[2]	23
ぶどう	スイートレディ	高糖度、良食味、無核（種子痕跡小）	中央	26
いちご	ゆきララ	大果、規格内収量やや多	花野菜	28
牧草（チモシー）	北見3号	多収、混播適性優、越冬性強、高栄養価	北見	令和元
	センプウ	極早生、斑点病抵抗性、多収	北見[3]	平成29
牧草（オーチャードグラス）	えさじまん	中生、多収、飼料品質高	北農研[4]	27
牧草（アカクローバ）	アンジュ	越冬性極強、混播適性優	北農研	25
牧草（シロクローバ）	コロポックル	極小葉型、耐寒性強、混播競合力緩	北農研	23
アルファルファ	北海8号	多収、永続性優、耐寒性強、耐踏圧性強	北農研	令和元
飼料用とうもろこし	北交91号	早生の早、耐倒伏性強	北農研・酪農	元
	きよら	すす紋病抵抗性極強、耐冷性やや強～強、発芽良	北農研・畜産	平成23
肉牛	勝早桜5	黒毛和種雄牛、産肉能力高、産子発育能力高	畜産	26
豚	ハマナスW2（大ヨークシャー）	産肉・繁殖能力高、肉質良	畜産	21
鶏	北海地鶏Ⅲ	産卵性・産肉・増体能力高、肉質良	畜産	30

注：1）は（株）大学農園、2）は十勝農協連、3）はホクレン、4）は雪印種苗（株）との共同研究

るため、今後は品種を置き換えた普及が見込まれ、そば生産者の収益向上が期待されます。

園芸

ながいもの催芽湿度を100％から80％にすることで、催芽期間が1～2週間長くなる一方、腐敗の減少により萌芽が改善することを明らかにし、圃場に植え付けた後の欠株が減少して増収することを示しました。

高設栽培のいちごは萎黄病などの土壌病害が発生することが多く、効果の高いクリーンな消毒技術が求められていました。培土を充填（じゅうてん）したベッドに1～2％のエタノールをたん水・被覆し、温度を20℃以上にすることでベッド内を

還元状態とし、培土の消毒が可能であることを明らかにしました。

畜産

肉用牛では受精卵の段階でゲノム育種価を評価できる技術が開発されたことで、黒毛和種の種雄牛造成や繁殖雌牛の改良が効率的にできるようになりました。

乳用牛では、ホルスタイン種は初産分娩月齢24カ月以下の場合、分娩後の目標体重を550kgから650kgと大きくすることで、乳量が向上することを明らかにしました。

飼料作物では、牧草やとうもろこしサイレージ中の繊維やでん粉消化率を近赤外分析機器で測定し飼料設計などに活用できる検量線を作成しました。

また作物品種では、チモシー新品種「北見35号」、オーチャードグラス新品種「東北8号OG」、サイレージ用とうもろこし新品種「北交91号」を開発しました。

普及活動の推進と支援

道は、農業改良普及センター（14本所、30支所）に普及指導員を配置し、道農政の推進方向である「食」「環境」「人」「地域」の4つの視点に立ち、農業経営および農村生活の改善に関する科学的技術と知識の普及・指導や、担い手の育成などを行うとともに、地域における多様で複雑化した課題の解決に向けた普及課題を設定するなど、より地域に密着した提案型の普及活動を展開しています。

● 道総研農業研究本部などが開発した主要な新技術（令和元〈2019〉年発表）

内容	担当試験場
ながいもの安定生産に向けた催芽法改善	十勝
黒毛和種受精卵における産肉能力のゲノム選抜技術	畜試
牧草およびとうもろこしサイレージの繊維消化率の近赤外分析による推定	畜試
土層改良と後作緑肥を用いた部分不耕起による土壌流亡対策技術	中央
秋まき小麦「きたほなみ」の気象変動に対応した窒素施肥管理	中央
北海道で発生するコムギなまぐさ黒穂病の特性と耕種的防除法	中央
馬鈴しょ地域在来品種等「フリア」の特性	北農研
オホーツク地域におけるたまねぎ早期出荷向け品種の特性	北見
セル成型苗を用いた加工用トマトの栽培技術	中央
高温期の道外移出に対応した草花類の品質管理技術	花・野菜
MA包装フィルムを用いたグリーンアスパラガスおよびスイートコーンの流通技術	花・野菜
乳量向上のための初産分娩後の適正体重および初産泌乳期の栄養水準	酪農
公共牧場における乳用育成牛の寒冷馴致（じゅんち）技術	酪農
感染シミュレーションモデルを活用した牛白血病ウィルス清浄化の推進方法	畜試
道東地域における牧草夏播種年の飼料収穫量向上のための秋まきライ麦栽培法	酪農
とうもろこしサイレージ中デオキシニバレノール濃度の簡易スクリーニング法	畜試
土壌凍結深制御技術の適用拡大と技術体系化	北見
球肥大改善に向けた直播たまねぎの窒素分施法	十勝
播種後の気象推移に対応した飼料用とうもろこしの窒素分施対応	酪農
更新初期の牧草生産性に対する簡易草地更新の効果	酪農
ブームスプレーヤーのノズルピッチ拡大による畑作物主要病害虫防除の実用性	十勝
ジャガイモシロシストセンチュウの緊急防除対策技術	北見
てん菜直播栽培における黒根病の防除対策	北見
転炉スラグを用いた土壌pH調整によるホウレンソウ萎凋病被害軽減対策	道南
移植たまねぎの早期立枯症状の原因と耕種的対策	北見
いちご高設栽培における低濃度エタノールを用いた土壌還元消毒による萎黄病の防除対策	花・野菜
圃場基盤整備による小麦・大豆生産費への影響と水田フル活用による経営改善効果	中央
水稲を対象としたUAVリモートセンシングの活用法	中央
田畑輪換体系における水稲無代かき移植の欠株率低減対策と後作大豆への効果	中央
自動操舵機能付き田植機による疎植栽培時の省力性と経済性	中央
短紙筒狭畦移植機と自走式多畦収穫機等を用いたてん菜の狭畦栽培	北農研
定置式除土積込機を用いたてん菜輸送体系の能率と経済性	十勝
北見地域の白花豆生産における疎植栽培導入による省力低コスト効果	北見
ロボットトラクターの適用作業および作業時間の短縮効果	中央
畑輪作におけるにんじん・たまねぎに対するマップベース可変施肥技術の適用	十勝
生育・収量・土壌センシング情報の活用による可変施肥効果の安定化	十勝

農協と農業関係団体

農業協同組合

　農業協同組合（農協）は農業者が自主的に設立した協同組織です。農協は営農指導や農産物販売、資材などの購買、貯金や貸し付けなどの信用事業、各種保険の共済事業などを行い、組合員の経済的、社会的地位の向上や地域農業の振興に大きな役割を果たしています。

■減少続く正組合員数

　平成30事業年度に信用事業を行った総合農協数は、109組合となっています。正組合員数は前年に比べ1.7％減で6万3,565人、准組合員数は0.7％減で29万1,353人となり、全体で0.8％の減少となりました。正組合員の組合員総数に占める割合は年々減少し続けており、前年度に比べ0.2ポイント低下した17.9％となっています。

　また1組合当たりの正組合員戸数は10戸減少し413戸と、17事業年度と比べ93戸減少しています。正組合員戸数が600戸以上の農協数の構成比は16.5％と、17事業年度と比べ6.7ポイント減少しています。

　北海道の農協は、組合員の営農や生活に密着した事業活動に積極的に取り組んでおり、事業総利益を部門別に見ると、都府県と比べ購買や販売事業のウエートが高く、信用や共済事業のウエートが低くなっています。

■農協系統組織

　農協系統（JAグループ）の組織は、地域の農協が出資する道段階のJAグループ北海道（①経営指導の道中央会②信用事業の道信連③経済事業のホクレン④病院経営の道厚生連）、全国段階の全国連合会（①全中②農林中央金庫③全農④全共済⑤全厚連）の3段階制を取っています。

　共済事業を受け持つ共済連については、道段階の組織は全共連に統合され、2段階制となっています。

■組織基盤の強化に向けた取り組み

　農協は組織基盤の強化を図るため合併が進んでおり、令和2年3月末の総合農協数は109になっています。しかし、平成6年にJAグループ北海道が掲げた、当時の237農協を37農協にする合併構想に比べると、農協間の財務格差などの要因により遅れています。農協合併は、事業規模拡大による経営基盤の強化や経営の合理化、ブランド統一やロット拡大による販売力の強化など、多くのメリットが期待されます。その一方で、担当地域の広域化により、組合員との結び付きの希薄化やサービスの低下も懸念され、組合員や地域農業に的確に対応し、密着した農協運営の確立が求められます。

　また、国の金融システムの一員として、農協や農協系統団体（信連・農林中央金庫）は、破綻の未然防止や業務執行体制の強化のため、実質的に1つの金融機関として機能する「JAバンクシステム」を構築しています。財務内容が弱い農協に対しては、中央会とJAバンクが一定の基準に基づき経営改善が必要な組合に指定しています。令和2年1月には日高管内3組合（新冠町、しずない、ひだか東）の信用事業が信連に譲渡されました。

　また平成28年4月には、農業協同組合法が改正されました。農協は農業者自らが設立した組織として、農業者の所得向上に向け改めて動き出し、農業の成長産業化に向けた一層の農協改革を推進しています。

　JAグループ北海道では「農業所得増大」「担い手育成・確保」「サポーターづくり」など、協同組合の原点を改めて見詰め直し「新たな協同組合」の姿を継続的に討議していくことを決議しました。

農業関係団体

　道内各地域には、農地事務などを進める市町村ごとの「農業委員会」、ダムや用水路の維持管理、農業用水の利用調整などを進める「土地改良区」ほか、さまざまな農業関係の団体が活動しています。

　農業経営の安定を図る上で「農業共済組合」などが扱う農業保険は重要です。従前、農業共済制度は品目を限定して自然災害による収量減少のみを対象としてきました。しかし、31年1月からは品目を限定せずに価格低下も含めた新たなセーフティーネットとして、農業者ごとの収入全体に着目した「収入保険制度」を実施しています。

　運営しているのは全国農業共済組合連合会で、道内の収入保険加入者は令和元年で1,369戸となっています。

● 総合農協の概況

（単位：人、％、戸）

区分		平成17事業年度末	22事業年度末	28事業年度末	29事業年度末	30事業年度末
組合員数	正組合員数（1組合平均）	82,859（663）	73,056（658）	65,650（602）	64,654（593）	63,565（583）
	准組合員数（1組合平均）	249,063（1,993）	267,246（2,408）	290,341（2,664）	293,297（2,691）	291,353（2,673）
	計（1組合平均）	331,922（2,655）	340,302（3,066）	355,911（3,265）	357,951（3,284）	354,918（3,256）
	正組合員比率	25.0	21.5	18.4	18.1	17.9
正組合員戸数（1組合平均）		63,221（506）	54,929（495）	47,138（432）	46,105（423）	44,976（413）
職員数（1組合平均）		14,119（113）	12,893（116）	12,689（116）	12,637（116）	12,531（115）
正組合員戸数／職員数		4.5	4.3	3.7	3.6	3.6
集計農協数		125	111	109	109	109

資料：農林水産省「総合農協統計表」、北海道農政部調べ
注：事業年度末の数値は、出資組合のうち事業活動を行っている総合農協の決算期末データを集計したもの

● 正組合員戸数規模別の農協数の推移

（単位：組合、％）

区分	平成17事業年度末	22事業年度末	28事業年度末	29事業年度末	30事業年度末
200戸未満	36（28.8）	30（27.0）	34（31.2）	35（32.1）	35（32.1）
200〜399	39（31.2）	37（33.3）	37（33.9）	36（33.0）	36（33.0）
400〜599	21（16.8）	19（17.1）	16（14.7）	17（15.6）	20（18.3）
600〜799	9（7.2）	7（6.3）	6（5.5）	5（4.6）	2（1.8）
800〜999	6（4.8）	4（3.6）	7（6.4）	7（6.4）	8（7.3）
1,000戸以上	14（11.2）	14（12.6）	9（8.3）	9（8.3）	8（7.3）
計	125（100.0）	111（100.0）	109（100.0）	109（100.0）	109（100.0）

資料：農林水産省「総合農協統計表」、北海道農政部調べ
注：（）内は構成比で％

● 総合農協の事業総利益の部門別寄与率（平成30事業年度）

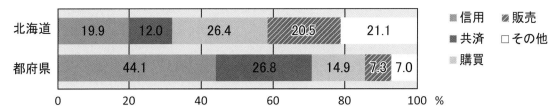

凡例：■ 信用　■ 共済　■ 購買　■ 販売　□ その他

北海道	19.9	12.0	26.4	20.5	21.1
都府県	44.1		26.8	14.9	7.3 / 7.0

（横軸：0〜100 %、20刻み）

資料：農林水産省「総合農協統計表」、北海道農政部調べ

● 近年の農協合併状況

年度	合併年月日	農協名	合併時の正組合員戸数	合併参加農協
平成12	12.4.1	摩周湖	193	弟子屈町、摩周
	12.5.1	旭川市	1,028	旭川市、永山
	12.8.1	きょうわ	743	前田、発足、小沢、岩内町
	12.8.1	丸瀬布町	79	丸瀬布町、白滝村
	13.2.1	道央	2,425	北広島市、恵庭市、千歳市、江別市、野幌
	13.2.1	たきかわ	1,487	たきかわ、芦別市
	13.2.1	いわみざわ	2,391	いわみざわ、栗沢町
	13.2.1	ふらの	2,535	上富良野町、中富良野、富良野、東山地区、山辺町、南富良野町
	13.2.1	とまこまい広域	1,476	白老町、苫小牧市、早来町、厚真町、穂別町、追分町
	13.2.1	標津町	208	標津町、羅臼町
	13.3.1	天塩町	252	天塩、雄信内、天塩町開拓
	13.3.1	オホーツクはまなす	334	西興部村、滝上町、上渚滑、紋別市
13	13.8.1	阿寒	171	阿寒町、釧路市
	14.2.1	新函館	4,856	知内、木古内町、上磯町、渡島大野、北渡、函館市、七飯町、渡島森、砂原町、若松、ひやま南、厚沢部町、せたな町
	14.2.1	あさひかわ	3,072	旭川市、旭正、旭川市神居、北野
	14.2.1	南るもい	579	増毛、小平町、留萌市
	14.2.1	湧別町	295	湧別、芭露、湧別町畜産
14	15.2.1	北いぶき	1,036	妹背牛町、秩父別、沼田町
	15.2.1	たいせつ	1,191	東鷹栖、鷹栖
	15.2.1	きたみらい	1,691	温根湯、留辺蘂、置戸町、訓子府町、相内、上常呂、北見市、端野町
	15.2.1	清里町	259	清里町、清里中央
15	15.4.1	帯広市川西	689	帯広市、帯広川西
	15.5.1	北はるか	639	下川町、美深町、中川町
	15.5.1	釧路太田	167	釧路太田、厚岸町
	15.8.1	オロロン	523	羽幌町、初山別村、遠別
	16.2.1	北ひびき	2,046	和寒町、剣淵、士別市、多寄、天塩朝日
	16.2.1	東神楽	858	東神楽、西神楽
	16.2.1	平取町	517	平取町、北日高
16	17.2.1	道北なよろ	1,073	風連、名寄、智恵文
17	17.9.1	足寄町	302	足寄町、足寄町開拓
18	18.6.1	えんゆう	422	えんゆう、丸瀬布町、生田原町
	18.6.1	釧路丹頂	376	音別町、鶴居村、幌呂、白糠町
19	20.2.1	上川中央	444	上川町、愛別町
	20.2.1	オホーツク網走	598	オホーツク網走、東藻琴村
20	21.2.1	そらち南	989	由仁町、栗山町
	21.3.1	宗谷南	146	北見枝幸、歌登
	21.3.1	北宗谷	277	沼川、豊富町
21	21.4.1	道東あさひ	651	別海、上春別、西春別、根室
23	24.2.1	北オホーツク	248	興部町、おうむ
26	27.2.1	びらとり	600	平取町、富川

資料：北海道農政部調べ

● 農業共済組合の概要

（単位：団体、千点、百万円）

区分	平成17年度	22年度	28年度	29年度	30年度	令和元年度
総組合等数	22	19	18	5	5	5
広域	21	18	17			
その他	1	1	1			
1組合当たり事業規模点数	462	564	597	2,146	2,149	2,172
支払い共済金	28,734	60,119	54,192	33,492	51,622	32,473

資料：北海道農政部「農業共済組合等実態調査」、北海道農業共済組合連合会「農業共済組合財務統計表」
注：1）広域とは2市町村以上にまたがる組合。平成29年以降は全て広域に合併
　　2）事業規模点数は、共済引受面積や家畜頭数などを点数換算したもの
　　3）組合等数、事業規模点数は、各年4月1日現在

● 土地改良区の組織状況

（単位：区、ha、人）

区分	平成12年度	17年度	22年度	28年度	29年度	30年度
区数	105	87	78	73	78	73
地区面積	296,040 (2,819)	300,728 (3,457)	297,202 (3,810)	259,612 (3,556)	259,306 (3,552)	258,670 (3,543)
組合員数	43,758 (417)	38,120 (438)	32,693 (419)	26,687 (366)	26,049 (357)	25,453 (347)
役員数	1,174 (11.2)	965 (11.1)	871 (11.2)	794 (10.9)	795 (10.9)	784 (10.7)
職員数	696 (6.6)	629 (7.2)	578 (7.4)	597 (8.2)	599 (8.2)	610 (8.4)

資料：北海道農政部調べ
注：（　）内は1区当たりの平均

活力ある農業・農村づくり

多面的機能の発揮

　農業や農村には、食料の安定供給といった基本的役割に加え、その生産活動を通じて、洪水や土壌浸食防止といった国土の保全、水源のかん養、自然環境の保全、良好な景観の形成、文化の伝承など、多面的機能があります。

　平成13年に行われた日本学術会議から農林水産大臣への答申によれば、全国における農業の多面的機能の評価額は8兆2,226億円と算定されています。

多面的機能支払交付金

　国は25年12月「農林水産業・地域の活力創造プラン」において「日本型直接支払制度」を創設しました。これは、地域内の農業者が共同で取り組む地域活動や、担い手に集中した水路、農道などの管理を支えるためでした。これにより、規模拡大に取り組む担い手の負担を軽減し、構造改革を後押ししてきました。26年には「多面的機能支払交付金」が創設され、多面的機能を支える地域の共同活動の支援が拡充、強化されました。

　多面的機能支払交付金は、「農地維持支払交付金」と「資源向上支払交付金」で構成され、令和元年度は道内151市町村、765組織が取り組み、その面積は約77万haになっています。水路の草刈り、泥上げなどの農用地、水路、農道などの施設の軽微な補修や農村環境の保全を行いました。

中山間地域等直接支払交付金

　「中山間地域等直接支払制度」は、特定農山村法、山村振興法、過疎法、半島振興法、離島振興法の地域振興5法の指定地域などにおいて、耕作放棄地の発生が懸念される急傾斜農用地などが対象です。集落協定などに基づき、5年以上継続して農業生産活動を行う農業者に平地地域との生産コストの格差を勘案した上で、地目ごとに単価を設定し、面積に応じて交付します。平成12年度から、5年ごとの対策として実施されています。

　令和元年度は道内98市町村で実施し、協定数は321、交付対象面積は約32万haとなっています。集落における共同取り組みは、農用地の管理方法や役割分担などを取り決める集落協定において必須とされている、集落の10〜15年後を見据えた計画の策定です。また、適正な農業生産活動を通じた耕作放棄の防止や多面的機能を増進する基礎的な取り組みに加えて、協定農用地の拡大、機械や農作業の共同化などから、集落の状況に応じて選択された取り組みが行われています。

農業や農村に対する道民の理解

　北海道の農業や農村を貴重な財産として育み、将来に引き継ぐことを基本理念とした「北海道農業・農村振興条例」（P.41を参照）に基づき、北海道の農業や農村の持続的な発展のためには、道民の理解と協力が不可欠です。

　そのため、道は都市住民との交流活動に意欲的な農業者の農場を「ふれあいファーム」として登録しています。「ふれあいファーム」は、気軽に農場を訪問してもらい、農作業体験や農業者の方々との語らいを楽しんでもらうものです。接する機会の少ない農業の実際の姿に触れ、農村の魅力を感じてもらうための交流拠点の役割を担っているともいえます。

　平成9年度の登録開始以来、これまでに全道で864農場（令和2年3月末現在）が登録されており、登録農場では農作業体験のほか、バターやそば打ちなどの手づくり体験、農産物の直売など農業者自らの創意と工夫を凝らしたさまざまな取り組みが行われています。

「ふれあいファーム」シンボルプレート

　さらに、道は情報誌「confa（コンファ）」を発行し、都市住民が農業や農村の情報に触れる機会の確保に努めています。また、平成10年に道内の農業団体や経済団体、消費者団体により設置された「農業・農村ふれあいネットワーク」では、農業や農村に対する幅広い道民の理解を得るため、雑誌やテレビ、ラジオなどマスメディアを活用したPR活動を進めています。

　近年は特に、農業と学校教育の連携

農業・農村情報誌「confa（コンファ）」

に積極的に取り組んでおり、教員を対象とした「農村ホームステイ」は、北海道教育委員会の新規採用栄養教諭研修にも取り入れられるなど、道内各地で浸透し、相互理解を高めるツールになりました。

グリーン・ツーリズムの推進

　近年は都市住民や訪日外国人を中心に、農山漁村の付加価値の高い食や農林漁業体験のほか、美しい景観、田園空間に身を置くことで感じるすがすがしさや豊かさを求める機運が高まっています。一方で、そうした役割が期待されている農村は、人口減少や高齢化が進み、地域としての活力低下が危惧されています。このような中では、都市と農村との交流を通じ、都市住民が農村の魅力に触れる機会を提供し、農業や農村への理解を深めてもらうとともに、地域振興につなげていくことが重要です。

　北海道では地域の個性と資源を生かしたファームイン（農家民宿）をはじめ、農産物の加工や販売、農家レストランなど、グリーン・ツーリズムの取り組みが各地で進められています。グリーン・ツーリズム関連施設は、12年の1,062件に対し、31年1月には2,592件と約2.4倍に増加しています。

　20年度からは「子供の農山漁村体験」の活動も推進されています。子どもたちは親元を離れ、農村の多様な人々と交流することで社会性を身に付けます。また受け入れ側も、驚きと感動を持って体験に取り組む子どもたちの姿から郷土の魅力を再発見し、地域の再生や活性化につながっています。

　これまでグリーン・ツーリズムは農林漁業者による取り組みが中心でしたが、旅行形態やニーズが多様化する中、道はより幅広い視点から地域ぐるみの連携により旅行者を受け入れる「農村ツーリズム」を推進しています。道内では農山漁村の農家民宿などに滞在し、農業や農村の暮らしを体験する教育旅行の取り組みに加え、農作業体験や農産物加工体験、郷

土色の提供、豊かな自然環境の中での
アウトドアや健康・美容体験に組み合わ
せるなど、地域資源を有効に活用した取
り組みが進められています。

　また、道内関係機関との連携強化を図
るため、30年度に「北海道農村ツーリズ
ム連絡会議」を設置しました。

地域資源を生かした6次産業化

　近年、地域の農林水産物や、農林漁
業者が創意工夫を凝らした加工品などの
開発・販売、地域の農畜産物や美しい
景観を活用したファームレストラン・観光

農園の開設が脚光を浴びており、食を通
じて生産者と消費者の絆を結ぶ貴重な場
となっています。

　国内有数の食料供給地域である北海
道では、農林水産物をはじめとする地域
資源を有効活用しようとする動きが活発に
なってきています。1次産業者である農林
漁業者が地域の関係者と連携し、加工
や流通、販売などを行う「6次産業化」は、
農山漁村における所得の向上や雇用の
確保など地域の活性化につながると期待
されています。

　国は、23年3月に施行した「地域資源

を活用した農林漁業者等による新事業の
創出等及び地域の農林水産物の利用促
進に関する法律」（6次産業化・地産地
消法）に基づき、6次産業化に取り組む
農林漁業者の事業計画「総合化事業計
画」を認定しています。農林漁業者はこ
の制度を活用しながら、専門家の助言を
受けて新商品開発や新たな販売方式導
入などの計画を作成し、実現に向けて取
り組んでいます。

　令和2年3月末現在、全国で2,557件
が認定を受け、うち北海道は160件と都
道府県別第1位となっています。

● ふれあいファームの取り組み内容（北海道）

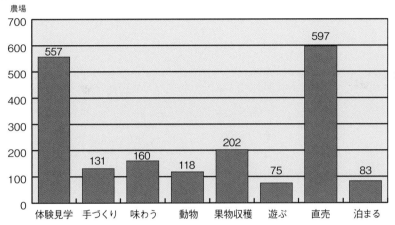

資料：北海道農政部調べ（令和2年3月末現在）
注：1）農場によっては複数の取り組み内容を設けている所がある
　　2）体験見学：田植え、稲刈り、ジャガイモの収穫、草取り、農業施設
　　　　見学など
　　3）手づくり：豆腐、チーズ、バター、ジャム、そば打ち、ドライフラワー
　　　　など
　　4）味わう：アイスクリーム、自家製ソーセージ。ファームレストラン
　　　　での食事など
　　5）動物：乗馬、羊毛刈り、牛の乳搾りなど
　　6）果物収穫：りんご、さくらんぼ、ぶどう、なしなど
　　7）遊ぶ：歩くスキー、かんじきツアー、フットパスなど
　　8）直売：農産物、農産加工品（漬物、バター、チーズなど）
　　9）泊まる：ファームイン、キャンプなど

● グリーン・ツーリズム関連の取り組み件数の推移（北海道）

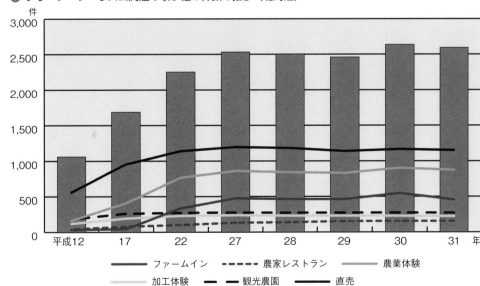

資料：北海道農政部「グリーン・ツーリズム関連施設調査」（各年1月現在）

● 農業生産関連事業体数と年間販売総額 （単位：件、百万円）

区分	平成29年度	
	全国	北海道
農産物の加工	27,920	1,350
農産物直売所	23,940	1,320
観光農園	6,590	370
農家民宿	2,040	300
農家レストラン	1,560	130
合計	62,040	3,470
年間販売総額	2,104,435	155,343

● 総合化事業計画の認定件数（累計）の推移

区分	平成26年度	27	28	29	30	令和元年度	農畜産物	林産物	水産物
北海道	117	123	127	142	150	160	151	3	6
全国	2,061	2,158	2,227	2,350	2,438	2,557	2,264	103	190

農業・農村整備

農業や農村の持続的発展の実現

北海道の農業や農村は、良質な食料を安定的に供給するとともに、国土や環境の保全、美しい景観の形成など多面的機能を発揮しています。地域の個性や創造力を十分に生かした持続的発展のためには、「農地」「農業用水」「農業用施設」「自然環境」「農村景観」の5つの地域資源が持つ機能と魅力を十分に発揮し、豊かな農村空間を創造していくことが重要です。

効率的な営農に向けた水田整備

北海道の水田整備は、圃場区画の整理や拡大化、用排水路の分離や改良など経営体の育成とともに総合的に進めています。

水田農家の経営面積が拡大する中、より効率的な営農に向けて、担い手への農地の利用集積・集約化を進めるとともに、自動走行農機などのスマート農業の効果が最大限発揮される圃場の大区画化を推進しています。また、収益性の高い作物の作付けが可能となる排水対策などを推進しています。整備に当たって、新たな施工機械や反転均平工法などの導入により低コスト化を進めています。

力強い農業を目指した畑地整備

北海道の畑作地帯には重粘土や火山性土、泥炭土の特殊土壌が広く分布しているため、排水改良や客土による土層改良を重点的に進めながら、区画整理や農道、畑地かんがい整備などを総合的に実施してきました。平成29年度末で、排水条件が整備された畑は約62％となっています（道農政部調べ）。近年、ゲリラ豪雨や台風を伴う豪雨災害が多発しており、災害に強い農業生産基盤構築に向け、排水対策の強化に必要な整備を進めています。

飼料自給率向上を目指した草地整備

良質な農産物の安定生産や作物導入の選択幅を広げる畑地かんがいは、一部地域で道営事業などにより、圃場での散水施設が整備されて高収益作物への転換が進められています。

酪農・畜産経営の体質を強化するためには、恵まれた土地基盤を生かし、自給飼料基盤に立脚した経営の確立を図る必要があります。このため大型機械による効率的な作業を可能とする草地の整備改良、公共牧場やTMRセンターなどの施設整備を実施し、自給飼料の増産や担い手の農地利用集積による自給飼料確保に取り組んでいます。

農村環境の保全と再生

農村環境を良好に保全し次世代へ引き継ぐため、地域特性に応じて環境に配慮した取り組みを進めています。多様な水生生物の生息に適した水路整備、遡上（そじょう）や降河を可能とする魚道整備、地域住民と連携した希少種の保全などがその一例です。

また道民共通の財産であり、観光資源でもある美しい農村景観を保全し形成するため、地域の景観に配慮した工法の採用やのり面の緑化、耕地防風林の保全、地域住民が参画する景観形成の保全活動も進めています。

加えて、地球温暖化の原因といわれる温室ガス排出量の現地調査を実施するとともに、農地の大区画化や暗きょ排水の整備に伴う温室効果ガスの発生量を「見える化」する取り組みも併せて実施しています。

● 草地整備改良面積の推移

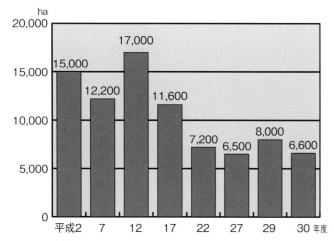

● 草地造成改良面積の推移

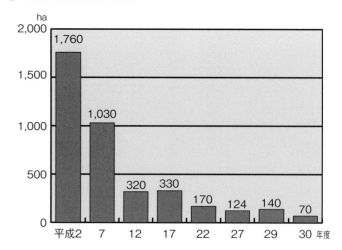

資料：北海道農政部調べ

みんなで育む北海道の農業・農村

　北海道は平成9年4月、他府県に先駆け全国で初めて「農業・農村振興条例」を制定しました。条例では、北海道の農業や農村がわが国最大の食料生産地域であり、農業と農村の振興が地域経済や社会の健全な発展に寄与していることを認識し、創意工夫に富んだ担い手の育成や、低コストで安全かつ良質な食料の供給、環境と調和した農業の推進などにより、農業と農村を道民の貴重な財産として将来に引き継いでいくことを基本理念として掲げています。

　「北海道農業・農村振興条例」に基づき、道は「第5期北海道農業・農村振興推進計画」を28年3月に策定しました。この計画は、計画期間28〜32（令和2）年度の5年間、道農政の中期的指針としての役割を果たすものであり、北海道農業が将来にわたってわが国有数の食料供給地域として食料自給力と自給率の向上に貢献し、食料自給率の目標達成に最大限寄与できるよう、農業と農村の振興に向けた取り組みを進めることとしています。

北海道農業・農村振興条例前文（抄録）

　私たちは、北海道の農業が道民のみならず広く国民に食料を安定的に供給するなどの役割を担っており、農業・農村の振興が地域の経済社会の健全な発展に寄与していることを改めて認識する。

　しかしながら、近時、農産物の輸入自由化や食料消費構造の変化をはじめ、世界的な人口増加、環境問題など農業・農村を取り巻く状況が大きく変動する中で、農業経営の安定や農村の活性化をこれまで以上に図ること、さらには食料自給の在り方を見直すことも求められている。

　このような状況に直面している農業を魅力のあるものとし活力のある農村を築き上げるには、創意工夫に富んだ担い手を育成し農地を適切に保全しつつ、生産経費の低減を図りながら安全かつ良質な食料の供給に努めていかなければならない。また、環境と調和した農業を推進するとともに、国土の保全、良好な景観の形成といった農業・農村が有する多面的な機能を増進することが重要である。

　加えて、農業・農村の振興を進めていくためには、新しい時代を切り拓くという農業者自らの意欲はもとより、次代を担う子供たちと私たちがともに、農業・農村について積極的に学ぶことが大切である。

　このような考え方に立って、北海道の農業・農村を貴重な財産として育み、将来に引き継いでいくため、この条例を制定する。

農業・農村の振興に関する施策の展開方向（第5期北海道農業・農村振興推進計画）

施策の推進方針		具体的な展開方向
1　農業・農村の役割・機能に対する道民意識の共有	本道の農業・農村を貴重な財産として育み、将来に引き継いでいくために必要な道民理解の促進	○農業団体が中心となって進めていく地域での食と農でつながるコンセンサスづくりとも連携し、取組を推進 ○「食育」や「地産地消」と連携したコンセンサスづくり
2　需要に応じた安全・安心な食料の安定供給とこれを支える持続可能な農業の推進	消費者の期待と信頼に応える食料の生産・供給に向けた取組の推進	○「愛食運動」の展開と「食育」の推進 ○消費者や実需者の多様なニーズに対応した競争力のある農畜産物の計画的かつ安定的な生産の推進 ○クリーン農業や有機農業、自給飼料に立脚した畜産の推進
3　国内外の食市場を取り込む高付加価値農業の推進	国内外の食市場の変化への対応や成長が見込まれる世界の食関連市場の取り込みに向けた取組の推進	○社会構造等の変化とともに、国内外の新たな食市場の取り込みに向け、消費者に選択される農畜産物の生産・供給体制を構築 ○6次産業化等の取組を推進 ○地域の特性を活かしたブランド化の推進と農畜産物や食品の輸出の促進
4　農業・農村を支える多様な担い手の育成・確保	地域農業を将来にわたり支えていく多様な担い手の育成・確保と活躍できる環境づくり	○多様な人材が就農できるよう、高度で専門的な研修・教育の推進と、地域における円滑な受け入れ体制の充実 ○家族経営等の担い手の経営発展を図るための支援の推進 ○地域農業を支える農業法人の育成の推進 ○企業経営のノウハウや多様な人材を活かす農業法人の育成の推進 ○地域営農支援システムの整備や、女性農業者が活躍できる環境づくりの推進
5　農業生産を支える基盤づくりと戦略的な技術開発・導入	生産力を最大限に引き出す基盤整備やICTなど新技術のフル発揮、農地の集積・集約化の推進	○農地の大区画化や暗渠排水、畑地かんがい施設などの農業生産基盤の整備の推進 ○優良農地の確保と意欲ある担い手への農地の利用集積・集約化 ○試験研究機関と連携した新品種・新技術の開発と普及 ○ICT技術を取り入れたスマート農業の推進
6　活力に満ち、心豊かに暮らしていける農村づくり	地域資源を活かした農村づくりと多面的機能の発揮、快適で安心して暮らせる場の確保	○農村の価値や魅力を活かした取組等を推進 ○農業・農村の有する多面的機能の発揮を促進する取組を推進 ○グリーン・ツーリズムや農村移住・定住の推進など、都市と農村との交流の一層の促進

◆資料編◆ 主要農業統計

■表1 全国に占める北海道農業の地位

区　分	単　位	北海道(A)	全国(B)	A／B (%)	調査年	資料出所
耕地面積						
総土地面積	千ha	8,342	37,798	22.1	令和元	国土交通省「全国都道府県市区町村別面積調査」
耕地面積		1,144	4,397	26.0		
うち田		222	2,393	9.3		農林水産省「耕地及び作付面積統計」
うち畑		922	2,004	46.0		
1戸当たり経営耕地面積(経営体)	ha	28.5	2.2(都府県)	12.9倍	平成31	
農家戸数						
総農家戸数	千戸	41	1,377	3.0	平成27	農林水産省「農林業センサス」
販売農家		35	1,130	3.1		
専業農家		23	368	6.3	平成31	農林水産省「農業構造動態調査」
第1種兼業農家		10	177	5.6		
第2種兼業農家		2	584	0.3		
主業農家率(販売農家)	％	70.9	19.2(都府県)	3.7倍		
農家人口						
総人口	千人	5,304	127,443	4.2	平成30	総務省「住民基本台帳」
農家人口(販売農家)		128	3,984	3.2	平成31	農林水産省「農業構造動態調査」
農業就業人口(販売農家)		88	1,681	5.2		
所得						
道(国)民所得	10億円	14,270	404,198	3.5	平成29年度	内閣府「国民経済計算推計」
生産農業所得	億円	5,060	34,873	14.5	平成30	北海道総合政策部「道民経済計算」 農林水産省「生産農業所得統計」
農業産出額						
産出額	億円	12,593	90,558	13.9	平成30	農林水産省「生産農業所得統計」
耕種		5,246	57,815	9.1		
うち米		1,122	17,416	6.4		
畜産		7,347	32,129	22.9		
うち生乳		3,826	7,474	51.2		
農畜産物生産量						
米	千t	588	7,762	7.6	令和元	農林水産省「作物統計」
小麦		678	1,037	65.4		
馬鈴しょ(春植え)		1,890	2,357	80.2		
大豆		88	218	40.6		
小豆		55	59	93.7		
いんげん		13	13	94.8		
てん菜		3,986	3,986	100.0		
生乳		4,091	7,362	55.6	令和元	「牛乳乳製品統計」
牛肉		91	475	19.2	平成30	「食肉流通統計」
家畜飼養頭羽数						
乳用牛	千頭	801	1,332	60.1	平成31	農林水産省「畜産統計」
肉用牛		513	2,503	20.5		
豚		692	9,156	7.6		
採卵鶏	千羽	5,232	141,792	3.7		
軽種馬	千頭	10	10	97.5	令和元	(公社)日本軽種馬協会調べ
農家経済(販売農家1経営体当たり)						
農業粗収益	千円	35,035	5,403(都府県)	6.5倍	平成30	農林水産省「経営形態別経営統計」
農業所得		9,507	1,510(都府県)	6.3倍		
農外所得		762	1,558(都府県)	0.5倍		
農家総所得		10,958	4,933(都府県)	2.2倍		
農業依存度	％	92.6	49.1(都府県)	1.9倍		

■表2　耕地面積

年次	総土地面積	耕地								販売農家1戸当たりの経営耕地面積
		合計	田		畑					
			計	本地	計	普通畑	樹園地	牧草地		
昭和60	8,351,922	1,185,000	258,100	242,200	926,800	426,400	4,350	496,100		10.1
平成7	8,345,159	1,201,000	239,800	225,200	961,700	417,800	3,780	540,200		14.0
17	8,345,573	1,169,000	227,700	214,600	941,000	412,200	3,440	525,400		18.7
22	8,345,687	1,156,000	224,600	212,300	931,700	414,400	2,990	514,300		21.5
29	8,342,384	1,145,000	222,300	210,600	922,700	416,300	3,000	503,400		28.2
30	8,342,383	1,145,000	222,200	210,500	922,300	417,200	3,020	502,100		28.9
令和元	8,342,439	1,144,000	221,900	210,300	921,800	417,200	3,040	501,500		28.5

資料:国土交通省国土地理院「全国都道府県市区町村別面積調べ」、農林水産省「耕地及び作付面積調査」、北海道水産林務部「林業統計」
注:1)根室総合振興局および昭和50年以降の北海道の総土地面積には歯舞諸島、色丹島、国後島、択捉島（503,614ha）を含むが、耕地率および森林率の算定に当たっては前記四島を除いている
　　2)「販売農家1戸当たりの経営耕地面積」の平成27年次以降は「農業経営体当たりの経営耕地面積」

■表3　農家戸数および農業従事者数

年次	販売農家戸数									自営農業従事者数（販売農家）		
	実数(戸)					構成比(%)				総数(人)	男女別割合(%)	
	総農家戸数	専業	兼業			専業	兼業				男	女
				第1種兼業	第2種兼業			1兼	2兼			
昭和60	100,123	46,300	53,823	34,490	19,333	46.2	53.8	34.4	19.3	(300,029)	(50.2)	(49.8)
平成22	44,050	26,693	17,357	11,963	5,394	60.6	39.4	27.2	12.2	123,666	53.4	46.6
30	35,800	24,500	11,400	8,800	2,600	68.4	31.8	24.6	7.3	96,800	55.2	44.8
31	35,100	22,700	12,400	10,000	2,400	64.7	35.3	28.5	6.8	87,900	55.2	44.8

資料:農林水産省「世界農林業センサス」「農林業センサス」「農業構造動態調査」
注:(　)は総数

■表4　農業産出額

年次	合計	耕種											畜産								加工農産物
		計	米	麦類	雑穀豆類	いも類	野菜	果実	花き	工芸作物	その他		計	肉用牛	乳用牛		豚	鶏		その他	
																生乳			鶏卵		
昭和60	10,911	6,366	2,352	771	506	757	1,014	67	25	825	49		4,544	418	2,973	2,362	490	250	231	413	0
平成22	9,946	4,806	1,064	249	302	621	2,032	52	126	335	27		5,139	559	3,634	3,041	336	313	186	297	0
29	12,762	5,483	1,279	252	387	747	2,114	61	134	467	43		7,279	1,002	4,919	3,713	459	390	217	509	—
30	12,593	5,246	1,122	230	333	648	2,271	54	131	414	40		7,347	1,016	5,026	3,826	439	357	188	509	—

資料:農林水産省「生産農業所得統計」

■表5　主要農産物の生産

(1)年次別

品目	年次	作付面積(ha)	10a当たり収量(kg)	生産量(t)	品目	年次	作付面積(ha)	10a当たり収量(kg)	生産量(t)
水稲	昭和60	163,900	497	815,100	大豆	昭和60	21,300	255	54,400
	平成22	114,600	525	601,700		平成22	24,400	237	57,800
	30	104,000	495	514,800		30	40,100	205	82,300
	令和元	103,000	571	588,100		令和元	39,100	226	88,400
小麦	昭和60	94,500	433	409,400	小豆	昭和60	37,700	202	76,300
	平成22	116,300	300	349,400		平成22	23,200	210	48,700
	30	121,400	388	471,100		30	19,100	205	39,200
	令和元	121,400	558	677,700		令和元	20,900	265	55,400
馬鈴しょ（春植え）	昭和60	75,900	3,560	2,703,000	たまねぎ	昭和60	10,000	4,790	480,300
	平成22	54,100	3,240	1,753,000		平成22	12,500	4,580	572,500
	30	50,800	3,430	1,742,000		29	14,600	5,460	797,200
	令和元	49,600	3,810	1,890,000		30	14,700	4,880	717,400
てん菜	昭和60	72,500	5,410	3,921,000	牧草	昭和60	551,300	3,410	18,808,000
	平成22	62,600	4,940	3,090,000		平成22	553,500	3,320	18,376,000
	30	57,300	6,300	3,611,000		30	533,600	3,240	17,289,000
	令和元	56,700	7,030	3,986,000		令和元	532,800	3,270	17,423,000

資料:農林水産省「作物統計」「野菜生産出荷統計」

(2)総合振興局・振興局別(令和元年)

(単位：ha, t)

振興局など	水稲 作付面積	水稲 収穫量	小麦 作付面積	小麦 収穫量	馬鈴しょ(平成30年) 作付面積	馬鈴しょ(平成30年) 収穫量	てん菜 作付面積	てん菜 収穫量	大豆 作付面積	大豆 収穫量	小豆(平成27年) 作付面積	小豆(平成27年) 収穫量	牧草(平成17年) 作付面積	牧草(平成17年) 収穫量
空知	45,100	262,300	19,100	91,100	677	21,100	577	42,000	10,300	23,900	484	1,058	9,390	287,700
石狩	7,240	39,600	9,180	45,600	666	21,900	1,160	80,400	2,910	6,890	699	1,749	10,900	330,500
後志	4,660	24,700	1,850	9,730	4,260	114,800	1,200	76,600	1,800	4,150	1,943	4,276	7,030	211,600
胆振	3,540	18,400	2,130	10,100	556	14,900	1,500	91,000	1,490	3,100	1,101	2,966	14,700	525,400
日高	1,280	6,640	47	166	36	751	41	2,250	48	93	40	103	34,800	1,107,000
渡島	2,960	14,900	167	875	745	19,800	157	7,830	496	893	174	313	12,100	416,600
檜山	3,960	20,000	1,030	4,950	1,130	28,500	295	19,600	1,630	2,870	422	783	6,270	190,000
上川	29,100	174,300	14,600	63,600	2,620	74,700	3,420	235,200	7,540	15,900	1,506	3,093	30,600	1,077,000
留萌	4,160	22,800	1,790	5,540	24	377	208	13,100	852	1,320	102	142	25,800	887,500
宗谷	−	−	−	−	6	69	−	−	−	−	−	−	54,100	1,703,000
オホーツク	982	5,350	28,500	191,700	16,600	641,700	22,800	1,686,000	2,630	7,320	1,595	3,922	61,000	2,088,000
十勝	14	67	42,700	252,600	22,600	775,900	24,900	1,705,000	9,410	22,000	13,835	41,095	102,000	3,630,000
釧路	−	−	249	1,500	406	13,800	287	19,700	17	35	−	−	90,600	3,057,000
根室	−	−	76	366	465	14,300	114	6,990	x	x	−	−	108,200	4,004,000

資料:農林水産省「作物統計」「野菜生産出荷統計」、北海道農政部調べ
　　　「−」事実のないもの、「x」秘密保護上数値を公表しないもの
注:「小豆」28年産以降は農林水産省「作物統計」との調整ができないため掲載を中止する
　　「牧草」18年産以降は事実不詳または調査を欠くもの

■表6　家畜の飼養状況

(単位：戸、頭、千羽)

年次	乳用牛 飼養農家数	乳用牛 飼養頭数	乳用牛 うち2歳以上	乳用牛 1戸当たり頭数	肉用牛 飼養農家数	肉用牛 飼養頭数	肉用牛 うち乳用種	肉用牛 1戸当たり頭数	豚 飼養農家数	豚 飼養頭数	豚 1戸当たり頭数	採卵鶏 飼養農家数	採卵鶏 成鶏雌飼養羽数	採卵鶏 1戸当たり羽数
昭和60	17,400	807,800	500,600	46.4	5,340	245,000	172,100	45.9	3,090	604,000	195.5	3,610	6,013	1.7
平成7	11,900	882,900	543,100	74.2	4,470	430,400	301,200	96.3	920	582,400	633.0	250	6,770	27.1
12	9,950	866,900	545,500	87.1	3,460	413,500	285,400	119.5	550	546,100	992.9	130	6,149	47.3
17	8,830	857,500	537,200	97.1	3,050	447,700	320,700	146.8	…	…	…	…	…	…
22	7,690	826,800	524,100	107.5	3,020	538,600	338,300	178.3	…	…	…	…	…	…
29	6,310	779,400	496,400	123.5	2,610	516,500	339,200	197.9	211	630,900	2,990.0	64	5,229	81.7
30	6,140	790,900	498,800	128.8	2,570	524,500	337,900	204.1	210	625,700	2,979.5	62	5,243	84.6
31	5,970	801,000	502,600	134.2	2,560	512,800	324,100	200.3	201	691,600	3,440.8	60	5,232	87.2

資料:農林水産省「畜産統計」
注:1)各年2月1日現在
　　2)採卵鶏については、種鶏のみの飼養者を除き平成3年以降は300羽以上、10年以降は1,000羽以上の飼養者
　　3)「…」事実不詳または調査を欠くもの

■表7　主要畜産物の生産

(単位：t)

年度	生乳 生乳生産量	生乳 生乳処理量 飲用牛乳等向け	生乳 生乳処理量 乳製品向け	生乳 生乳処理量 その他	年次	枝肉 牛	枝肉 豚	鶏卵
昭和60	2,639,170	357,133	2,193,548	46,345	昭和60	57,330	87,095	92,194
平成7	3,471,586	435,949	2,496,745	66,644	平成7	92,034	78,185	106,029
12	3,622,237	424,707	2,687,596	50,549	12	74,409	72,326	109,131
17	3,882,898	539,588	2,894,802	35,950	17	74,103	70,617	106,067
22	3,897,287	475,419	3,000,658	31,748	22	83,407	81,262	101,256
29	3,922,023	546,681	2,900,484	22,391	29	91,292	87,860	104,030
30	3,967,129	560,384	2,890,524	23,690	30	91,459	90,220	103,311
令和元	4,091,890	556,680	2,982,851	23,349	令和元	91,922	93,903	102,885

資料:農林水産省「牛乳乳製品統計」「食肉流通統計」
注:牛のうち、肉用牛は和牛とその他の牛(外国種の肉用種および和牛と外国牛の交雑種)の合計、乳牛は乳用雌牛と乳用肥育雄牛の合計、子牛は和子牛・乳子牛およびその他の子牛の合計、令和元年の生乳処理量は概算値

※空知＝空知総合振興局、石狩＝石狩振興局、後志＝後志総合振興局、胆振＝胆振総合振興局、日高＝日高振興局、渡島＝渡島総合振興局、檜山＝檜山振興局、上川＝上川総合振興局、留萌＝留萌振興局、宗谷＝宗谷総合振興局、オホーツク＝オホーツク総合振興局、十勝＝十勝総合振興局、釧路＝釧路総合振興局、根室＝根室振興局

注）新型コロナウイルス感染症の影響により短縮営業または休館の場合があります。視察場所へ来場される際には、必ず事前に電話などで確認願います。また、施設の繁忙期などには、視察できない場合があります

		視察場所など	内　容	連絡先
集出荷貯蔵施設	空知	玄米バラ集出荷調製施設「情熱米ターミナル」（岩見沢市）	玄米バラ調製出荷施設	JA いわみざわ施設管理部門 0126-24-8833
		米穀乾燥調製施設「きたむら」（岩見沢市）	もみ乾燥調製出荷施設	JA いわみざわ施設管理部門 0126-24-8833
		穀類乾燥調製貯蔵施設「超低温貯蔵・未ら来る米ステーション」（岩見沢市）	もみ乾燥調製出荷、外気温による超低温もみ貯蔵施設	JA いわみざわ施設管理部門 0126-24-8833
		美唄市米穀乾燥調製施設「らいす工房びばい」（美唄市）	米穀乾燥調製施設に有機物製造供給施設を併設	JA びばい 0126-63-2161
		米穀雪零温貯蔵施設「雪蔵工房」（美唄市）	玄米の雪零温による貯蔵施設	JA びばい 0126-63-2161
		玄米バラ集出荷調製施設「いなほの里ライスステーション」（美唄市）	玄米バラ調製出荷施設	JA みねのぶ 0126-67-2111
		美唄市小麦集出荷調製施設（美唄市）	小麦調製出荷施設	JA みねのぶ 0126-67-2111
		大豆乾燥調製貯蔵施設（美唄市）	大豆乾燥調製貯蔵施設	JA みねのぶ 0126-67-2111
		米麦ばら調製集出荷施設（滝川市）	玄米や乾燥麦のバラ調製貯蔵施設	JA たきかわ販売部 0125-23-2200
		穀類乾燥調製施設「北の米蔵」（滝川市）	米や麦の乾燥調製施設	JA たきかわ販売部 0125-23-2200
		菜種・蕎麦乾燥調製施設（滝川市）	菜種やそばの乾燥調製施設	JA たきかわ販売部 0125-23-2200
		ホクレンパールライス砂川工場（砂川市）	大型精米工場	直接 0125-53-1192
		JA 新すながわトマト集出荷施設（砂川市）	カメラによる形態選別から箱詰めや仕分けまで自動化されたトマト集出荷施設	JA 新すながわ奈井江支所 0125-65-2211
		深川穀類乾燥調製貯蔵施設「深川マイナリー」（深川市）	米穀もみ乾燥調製貯蔵施設	JA きたそらち深川支所 0164-26-0137
		JA きたそらち広域小麦・大豆乾燥調製貯蔵施設（深川市）	小麦や大豆乾燥調製貯蔵施設	JA きたそらち深川支所 0164-26-0138
		南幌町ライスターミナル「米夢21」（南幌町）	穀類乾燥調製貯蔵施設	JA なんぽろ 011-378-2221
		南幌町穀類乾燥調製貯蔵施設「麦富21」（南幌町）	穀類乾燥調製貯蔵施設	JA なんぽろ 011-378-2221
		奈井江町米穀乾燥調製貯蔵施設「中心蔵JA 新すながわライスターミナル」（奈井江町）	半乾もみで受け入れし施設で仕上げ乾燥、もみはサイロで超低温保存し、今摺り米として出荷	JA 新すながわ奈井江支所 0125-65-2211
		奈井江町米穀貯蔵用利雪低温倉庫「雪米の蔵〜ゆめのくら」（奈井江町）	雪氷冷熱を利用した米穀貯蔵施設	JA 新すながわ奈井江支所 0125-65-2211
		由仁町米穀乾燥調製貯蔵施設「米資館」（由仁町）	米穀乾燥調製施設	JA そらち南 0123-72-1313
		由仁町農協穀類乾燥調製貯蔵施設（由仁町）	小麦乾燥調製貯蔵施設	JA そらち南 0123-72-1313
		豆類乾燥調製施設（由仁町）	大豆調製施設	JA そらち南 0123-72-1313
		種馬鈴しょ等集出荷貯蔵施設「ポテト館」（由仁町）	種馬鈴しょ集出荷、選別、貯蔵施設	JA そらち南 0123-72-1313
		長沼町穀類乾燥調製貯蔵施設「米の館」（長沼町）	穀類乾燥調製貯蔵施設	JA ながぬま 0123-88-0211
		種馬鈴しょ集出荷施設（栗山町）	種馬鈴しょ集出荷、選別施設	JA そらち南 0123-72-1313
		米共同乾燥調製施設（栗山町）	米共同乾燥調製施設	JA そらち南 0123-72-1313
		麦用共同乾燥調製施設（栗山町）	麦用共同乾燥調製施設	JA そらち南 0123-72-1313
		小麦貯蔵施設（栗山町）	小麦貯蔵施設	JA そらち南 0123-72-1313
		玉葱集出荷貯蔵施設（栗山町）	たまねぎ集出荷貯蔵施設	JA そらち南 0123-72-1313
		大豆貯蔵施設（栗山町）	大豆貯蔵施設	JA そらち南 0123-72-1313
		穀類乾燥調製貯蔵施設「こめ工房」（月形町）	穀類乾燥調製貯蔵施設	JA 月形町 0126-53-2111
		米穀乾燥調製施設「中心蔵ライスターミナル」（新十津川町・浦臼町）	もみと玄米の同時受け入れ、もみはサイロで超低温、玄米はフレコンで自動ラック式低温倉庫で保管	JA ピンネ本所 0125-76-2221
		米穀乾燥調製施設「いなほの鐘」（秩父別町）	穀類乾燥調製施設	JA 北いぶき秩父別支所 0164-33-2412
		雨竜町ライスコンビナート「暑寒の塔」（雨竜町）	穀類乾燥調製貯蔵施設、もみ殻膨化処理施設、もみ殻堆肥化施設	雨竜町役場産業建設課 0125-77-2213
		北竜町玄米バラ調製集出荷施設（北竜町）	玄米バラ調製出荷施設	JA きたそらち北竜支所 0164-34-2211
		沼田町米穀低温貯蔵乾燥調製施設スノークールライスファクトリー（沼田町）	自然雪を利用した低温乾燥調製貯蔵施設	JA 北いぶき 0164-35-2221
	石狩	瑞穂の館（江別市）	乾燥もみ殻での除湿乾燥による大規模乾燥調製施設	JA 道央江別営農センター 011-382-4114
		さっぽろライスターミナル「米夢工房」（当別町）	4 つの JA が管理組合を設立して広域的に米と大豆の乾燥調製貯蔵施設を運営	直接 0133-26-3322
		JA 北いしかりかぼちゃ集出荷貯蔵施設（当別町）	温度、湿度管理に対応した送風循環機能を備えた施設	JA 北いしかり西当別支所 0133-26-2111
		ホクレン・パールライス工場（石狩市）	大型精米工場	直接 0133-76-2550
		ホクレン札幌野菜センター（石狩パッケージセンター）（石狩市）	野菜の選別からパッケージまでの一貫施設	直接 0133-74-8003
		ホクレン石狩穀物調製施設（石狩市）	豆類の選別からパッケージまでの一貫施設	直接 0133-74-5551
		JA 道央広域小麦乾燥調製貯蔵施設（恵庭市）	小麦乾燥調製貯蔵施設	JA 道央恵庭・北広島営農センター 0123-36-8917
	後志	大根洗浄選果施設（留寿都村・真狩村）	自動選別システムを導入しただいこん集出荷施設	JA ようてい 0136-21-2311
		馬鈴しょ集出荷貯蔵施設（留寿都村・京極町・倶知安町）	大規模な馬鈴しょ集出荷貯蔵施設	JA ようてい 0136-21-2311
		人参集出荷貯蔵施設（京極町・ニセコ町・真狩村・留寿都村・倶知安町）	大規模なにんじん集出荷貯蔵施設	JA ようてい 0136-21-2311
		スイカ・メロン集出荷施設（共和町）	光センサーによる内部品質測定を搭載した自動選別施設	JA きょうわ営農販売部 0135-74-3011
		米穀調製施設（共和町）	玄米をバラ出荷し調製、低温貯蔵による品質を重視した施設	JA きょうわ営農販売部 0135-74-3011
		馬鈴薯集出荷貯蔵施設（共和町）	馬鈴しょの集出荷選別および貯蔵施設	JA きょうわ営農販売部 0135-74-3011
		雪氷室貯蔵施設（赤井川村）	自然雪を利用した農作物貯蔵施設	㈲どさんこ農産センター 0135-34-6175
		雪利用米穀貯蔵庫（ニセコ町）	雪氷冷熱エネルギーを利用した玄米低温貯蔵庫	JA ようてい 0136-21-2311
		トマト集出荷選別施設（蘭越町）	トマトの集出荷選別および予冷施設	JA ようてい 0136-21-2311
		ミニトマト集出荷選別施設（余市町）	識別センサーを搭載したミニトマトの自動選別施設	JA よいち 0135-23-3121
		㈱アグリテック真狩（真狩村）	馬鈴しょの選果、加工処理、貯蔵施設	直接 0136-55-6138
		JA 新おたる　ミニトマト集出荷貯蔵施設（仁木町）	選果、梱包が機械化されたミニトマトの集出荷貯蔵施設。選果機は、糖度のほかリコピンも計測可能	直接 0135-48-6600
	胆振	JA 伊達市　やさい集出荷所（伊達市）	真空予冷機と立体自動保存所を有する集出荷施設	JA 伊達市 0142-23-2181
		青果物集出荷予冷貯蔵施設（厚真町）	自然冷熱を利用した馬鈴しょの低温貯蔵（氷室メークイン）、ハスカップ、ほうれんそう、グリーンアスパラの集出荷施設	JA とまこまい広域 0145-27-2241
		たんとうまいステーション（厚真町）	穀類乾燥調製貯蔵施設	厚真町役場 0145-27-2321
		低温貯蔵・常温集出荷貯蔵施設（厚真町）	取り扱い品目は大豆など	JA とまこまい広域 0145-27-2241
		安平町野菜共同集出荷場（安平町）	野菜共同集出荷場	安平町役場 0145-22-2515
		安平町米麦乾燥貯蔵施設（安平町）	米麦乾燥貯蔵施設	JA とまこまい広域追分支所 0145-25-2525
		雪・氷室野菜貯蔵施設（むかわ町）	雪氷の冷熱エネルギーを利用した野菜の貯蔵施設	JA とまこまい広域穂別支所 0145-45-2211
		雪・氷室玄米低温貯蔵施設（むかわ町）	玄米の長期保存が可能な雪を利用した低温貯蔵施設	JA とまこまい広域穂別支所 0145-45-2211
		野菜選果貯蔵集出荷施設（むかわ町）	取り扱い品目はトマト、ほうれんそう	JA むかわ 0145-42-2611
		穀類乾燥調製施設（むかわ町）	米麦大豆乾燥貯蔵施設	JA むかわ 0145-42-2611
		馬鈴薯集出荷貯蔵施設（洞爺湖町）	馬鈴しょ集出荷貯蔵施設、馬鈴しょ選別機	JA とうや湖 0142-89-2468
	日高	門別町農協　農産物集出荷貯蔵施設（日高町）	軟らかく辛みが少ない「美味ネギ君」（軟白長ねぎ）などの集出荷施設	JA 門別 01456-2-5111
		びらとり農協　野菜集出荷貯蔵施設（平取町）	電子形状選別機を備えた道内最大のトマト集出荷施設	JA びらとり 01457-2-2211
		新冠町農協　ピーマン集出荷選別施設（新冠町）	道内一の生産を誇るピーマンの集出荷選別施設	JA にいかっぷ 0146-47-3111
		ひだか東農協　農産物選果施設（浦河町）	重量選別機を備えた、いちごなどの選果施設	JA ひだか東 0146-22-1500
		ひだか東農協　いちご共同選果場（様似町）	画像処理機能を備えたいちごの選果場	JA ひだか東 0146-22-1500
		しずない農協　ミニトマト選果施設（新ひだか町）	ミニトマト「太陽の瞳」出荷のための選果施設	JA しずない 0146-42-1051
		新ひだか町　花き野菜集出荷施設（新ひだか町）	花「デルフィニウム」を中心とした集出荷施設	JA みついし 0146-34-2011

	視察場所など	内　容	連絡先
渡島	函館育ちライスターミナル（北斗市）	安全でおいしい高品質の道南ブランド「函館育ち」の米を提供する広域穀類乾燥調製施設	JA 新はこだて大野基幹支店 0138-77-7772
	北斗市トマト共同選別施設（北斗市）	カメラ形状選別機やトレーサビリティー対応システムなどを備えたトマト選別施設	JA 新はこだて大野基幹支店 0138-77-7772
	北斗市キュウリ共同選別施設（北斗市）	カメラ形態選別、箱詰め、一部ピロー包装にも対応した選別施設	JA 新はこだて大野基幹支店 0138-77-7772
	知内町野菜集出荷貯蔵施設（知内町）	にら共同調整包装施設、ほうれんそう包装を備えた集出荷施設	JA 新はこだて知内基幹支店 01397-5-5511
	JA 新はこだて　七飯基幹支店農産センター（七飯町）	にんじんや花きの共選機能を備えた集出荷施設	JA 新はこだて七飯基幹支店 0138-65-3078
	新野菜広域流通施設（七飯町）	真空予冷設備を備えた広域出荷施設	JA はこだて本店 0138-77-5558
	森町トマト集出荷選果施設（森町）	カメラによる形態選別から箱詰め、仕分けまで自動化されたトマト集出荷施設	JA 新はこだて森町基幹支店 01374-2-2386
檜山	JA 新はこだて西地区　グリーンアスパラガス選別施設（江差町）	グリーンアスパラの選別から梱包までの一貫施設	JA 新はこだて本店 0138-77-5557
	JA 新はこだて上ノ国支店　野菜集出荷施設（上ノ国町）	野菜の選別から梱包までの一貫施設	JA 新はこだて本店 0138-77-5557
	JA 新はこだて　馬鈴薯集出荷施設（厚沢部町）	メークイン電光選別機、低温貯蔵庫	JA 新はこだて本店 0138-77-5557
	JA 新はこだて　種子馬鈴薯選別施設（厚沢部町）	カメラ式形状選別、自動計量、ロボットパレタイジングなどを備えた種子馬鈴しょ選別施設	JA 新はこだて本店 0138-77-5557
	JA 新はこだて　小麦・大豆選別施設（厚沢部町）	小麦、白大豆の調製施設	JA 新はこだて本店 0138-77-5557
	函館育ち　今金工場「JA 今金町玄米バラ集出荷調整施設」（今金町）	玄米バラ調製出荷施設、低温貯蔵庫	JA いまかね 0137-82-0211
	今金町農協　馬鈴しょ集出荷施設（今金町）	空洞化センサー方式による馬鈴しょ選別	JA いまかね 0137-82-0211
	函館育ち　若松工場「北の白虎ライスターミナル」（せたな町）	自然乾燥に近い累積攪拌（かくはん）方式を採用したもみ乾燥調製貯蔵施設	JA 新はこだて本店 0138-77-5557
	函館育ち　北檜山工場「スーパーチェックターミナル」（せたな町）	玄米バラ調製出荷施設	JA きたひやま 0137-84-5311
上川	JA あさひかわ（旭川市）	江丹別そば、自然雪調熟成そば貯蔵熟成施設	直接 0166-37-8855
	上川北部地区もち米乾燥調製施設（名寄市）	もち米の乾燥調製施設	直接 01654-3-1320
	ゆきわらべ雪中蔵（名寄市）	雪室型もち米低温貯蔵施設	JA 道北なよろ営農センター営農課 01654-3-4307
	名寄市風連農産物出荷調整利雪施設（名寄市）	雪の冷熱エネルギーを利用した低温貯蔵施設	JA 道北なよろ販売部農産 01655-3-2521
	上川中央部米穀広域カントリーエレベーター（鷹栖町）	もみ乾燥調製貯蔵施設	直接 0166-87-2936
	JA 当麻　カントリーエレベーター（当麻町）	もみ乾燥調製貯蔵施設	直接 0166-84-3202
	JA 当麻　スイカ選別施設（当麻町）	でんすけすいかの空洞、糖度、外観判定設備	直接 0165-84-3201
	JA 当麻　精米施設（当麻町）	米の精米施設（HACCP 認証施設）	直接 0166-84-3202
	JA 当麻　ミニトマト選果施設（当麻町）	ミニトマトの糖度測定、金属検出、ロボットによる自動トレー詰めなどの設備を備えた選果施設	直接 0165-84-3201
	JA 当麻　胡瓜選別施設（当麻町）	ロボットによるきゅうりの箱詰め、外観カメラなどの設備を備えた選別施設	直接 0166-84-3202
	苺・苺苗予冷貯蔵施設（比布町）	いちごやいちご苗の高湿度予冷貯蔵施設	JA ぴっぷ町 0166-85-3111
	美瑛町トマト選果施設（美瑛町）	トマト自動選別施設	JA びえい販売部 0166-92-1258
	JA ふらの　中富良野カントリーエレベーター（中富良野町）	米麦もみ乾燥調製貯蔵施設	直接 0167-44-4366
	南宗谷線地区米穀類乾燥調製貯蔵施設「米工房天塩の大地」（和寒町）	遠赤乾燥機を用いた米穀類乾燥調製貯蔵	直接 0165-32-6100
	士別青果事務所（士別市）	ブロッコリーやアスパラなどの選果施設、たまねぎなどの貯蔵施設	直接 0165-22-4580
	めぐみの士別（士別市）	堆肥センター	直接 0165-22-0710
	武徳ライスセンター（士別市）	米麦穀物乾燥貯蔵施設	直接 0165-22-2415
	JA 北はるか　農産物集出荷施設（美深町）	かぼちゃやアスパラなどの集出荷選別施設	JA 北はるか 01656-2-1601
	幌加内町そば乾燥調製施設「そば日本一の館」「そばの牙城」（幌加内町）	そばの乾燥調製貯蔵施設	JA きたそらち幌加内支所 0165-35-2021
	幌加内町農産物低温貯蔵施設（幌加内町）	そばの利雪型低温貯蔵施設	JA きたそらち幌加内支所 0165-35-2021
	幌加内町農産物処理加工施設（幌加内町）	そばのむき実処理加工施設	JA きたそらち幌加内支所 0165-35-2021
留萌	苫前町穀類乾燥調製施設（苫前町）	ラック式乾燥方式による個別調製に対応した乾燥調製施設	JA 苫前町 0164-65-4411
	JA 苫前町　豆類乾燥調製施設（苫前町）	ラック式乾燥方式による大豆の乾燥調製施設	JA 苫前町 0164-65-4411
	JA 苫前町　雪冷ハイブリッド式定温倉庫（苫前町）	雪エネルギーと電力のハイブリッド方式の冷熱供給システムによる定温倉庫	JA 苫前町 0164-65-4411
	JA 苫前町　スイートコーン集出荷施設（苫前町）	道内初の X 線で選別するシステムを導入した集出荷施設	JA 苫前町 0164-65-4411
	羽幌ライスターミナル（羽幌町）	ラック式乾燥方式による米の乾燥調製施設	JA オロロン 0164-62-2141
	豊岬小麦乾燥センター（初山別村）	遠赤外線乾燥機を用いた麦乾燥調製施設	JA オロロン 0164-62-2141
	JA オロロンライスセンター「北限夢工房」（遠別町）	連続強制通風貯留乾燥方式により自然乾燥米の味を再現する乾燥調製施設	JA オロロン遠別支所 01632-7-2511
オホーツク	玉葱 CA 貯蔵施設（北見市）	CA 貯蔵によるたまねぎの冷蔵施設	JA きたみらいセンター販売企画部 0157-33-3401
	端野たまねぎ集出荷施設（北見市）	たまねぎキュアリング施設	JA きたみらいセンター販売企画部 0157-33-3401
	穀類乾燥調製貯蔵施設（北見市）	穀類乾燥調製貯蔵施設	JA きたみらいセンター販売企画部 0157-33-3401
	馬鈴しょ中心空洞判定装置（北見市）	馬鈴しょ中心空洞判定装置（北見市端野：8 ライン、北見市青果物センター：12 ライン）	JA きたみらいセンター販売企画部 0157-33-3401
	相内玉ねぎ集出荷施設（北見市）	たまねぎ選別施設、キュアリング施設	JA きたみらいセンター販売企画部 0157-33-3401
	馬鈴しょ中心空洞判定装置（訓子府町）	馬鈴しょ中心空洞判定装置（訓子府町：10 ライン）	JA きたみらい訓子府地区事務所 0157-47-2637
	訓子府町たまねぎ選別施設（訓子府町）	たまねぎキュアリング施設	JA きたみらい訓子府地区事務所 0157-47-2637
	穀麦乾燥調製貯蔵施設（網走市）	穀麦乾燥調製貯蔵施設	網走市役所 0152-44-6111（農林課農業振興係）
	網走市小麦集出荷施設（網走市）	小麦の広域サイロ（船積センター）	網走市役所 0152-44-6111（農林課農業振興係）
	美幌広域連　選別貯蔵施設（美幌町）	たまねぎ、馬鈴しょの広域集出荷選別施設	直接 0152-73-5176
	ジャガイモシストセンチュウ対策用車輌洗車場施設（美幌町、大空町）	ジャガイモシストセンチュウ対策用車両洗車場施設（美幌町2カ所、大空町1カ所）	直接 0152-73-5176
	人参洗浄選別施設（美幌町）	にんじん洗浄選別施設、予冷設備	JA びほろ 0152-72-1111
	加工馬鈴しょ集出荷貯蔵施設（美幌町）	加工馬鈴しょ集出荷貯蔵施設	JA びほろ 0152-72-1111
	加工馬鈴しょ集出荷貯蔵施設（津別町）	加工馬鈴しょ集出荷貯蔵施設	JA つべつ 0152-76-3322
	斜里町農業加工馬鈴薯集出荷貯蔵施設（斜里町）	加工馬鈴しょ集出荷、選別、貯蔵施設	JA 斜里町 0152-23-3151
	斜里町人参洗浄選別施設（斜里町）	にんじん洗浄選別施設、設備、予冷設備	JA 斜里町 0152-23-3151
	穀類乾燥調製貯蔵施設（清里町）	穀類乾燥調製貯蔵施設	JA 清里町 0152-25-2211
	大豆製品保管倉庫（小清水町）	大豆製品保管倉庫	JA こしみず 0152-62-2111
	玉ねぎ選果貯蔵施設（湧別町）	たまねぎ選果貯蔵施設	JA えんゆう 01586-2-2161
	東藻琴ながいも貯蔵施設（大空町）	特産品であるながいもの洗浄、選別貯蔵施設	JA オホーツク網走 0152-45-2311
	穀類乾燥調製施設（大空町）	穀類乾燥調製施設	JA めんべつ 0152-74-2131
	てん菜共同育苗施設（大空町）	てん菜共同育苗施設、ポット詰め装置	JA めんべつ 0152-74-2131
	大空町広域穀類乾燥調製貯蔵施設（大空町）	小麦や豆の乾燥調製貯蔵施設	直接 0152-77-6161
	穀類乾燥調製貯蔵施設（遠軽町）	穀類乾燥調製貯蔵施設	JA えんゆう農産課 01586-2-4122
十勝	帯広市川西農協　長いも選別貯蔵施設（帯広市）	高収益で高品質銘柄確立を目指した選別貯蔵施設	JA 帯広川西 0155-59-2111
	士幌町農協　馬鈴しょ集出荷貯蔵加工施設（士幌町）	大規模な馬鈴しょ集出荷や加工施設	JA 士幌町 01564-5-2311
	芽室町農協　種子馬鈴しょ選別貯蔵庫（芽室町）	種子馬鈴しょの集出荷選別貯蔵施設	JA 芽室町 0155-62-2537
	中札内村農協　農産物加工処理施設（中札内村）	枝豆、いんげんなどの加工処理施設	JA 中札内村 0155-67-2119
	更別村農協　馬鈴しょ集出荷施設（更別村）	カメラセンサーで選別、パレタイザーで等級別に積載	JA さらべつ 0155-52-2120
	十勝港広域小麦流通センター（広尾町）	全道最大の小麦バラ貯蔵施設	農協サイロ㈱ 01558-2-4646
	幕別町野菜集出荷選別貯蔵施設（幕別町）	町内で生産するだいこん、にんじんの高性能選別施設	JA 幕別町 0155-54-4111
	豊頃町農協　だいこん集出荷洗浄施設（豊頃町）	切り干しだいこん加工施設を併設した大規模集出荷施設	JA 豊頃町 01557-4-2101

集出荷貯蔵施設

大分類	地域	視察場所など	内容	連絡先
集出荷貯蔵施設	十勝	本別町農協　豆類調製施設（本別町）	小豆、菜豆などの高品質化調製施設	JA本別町 0156-22-3111
		清水町農協　食用・加工馬鈴しょ貯蔵庫（清水町）	食用や加工馬鈴しょの集出荷貯蔵施設	JA清水町 0156-63-2521
		清水町農協　にんにく乾燥貯蔵施設（清水町）	にんにくの貯蔵施設	JA清水町 0156-62-2161
		鹿追町農協　種馬鈴しょ貯蔵施設（鹿追町）	種馬鈴しょの貯蔵、選別施設	JA鹿追町 0156-66-2326
		音更町農協　豆類貯留調製施設（音更町）	大豆の貯蔵調製施設	JAおとふけ 0155-42-8721
		音更町農協　人参洗浄選別予冷施設（音更町）	にんじんの洗浄選別予冷施設	JAおとふけ 0155-42-8721
		音更町農協　長芋洗浄選別施設（音更町）	ながいもの洗浄選別施設	JAおとふけ 0155-42-8721
	根室	JA中標津　だいこん集出荷施設（中標津町）	規格統一と産地ブランドの確立を目指した集出荷、選別施設	JA中標津 0153-72-3275
		JA中標津　馬鈴しょ選別場（中標津町）	生食用馬鈴しょ「伯爵（ワセシロ）」のブランド化を目指した選果施設	JA中標津 0153-72-3275
		JA中標津　乳製品工場（中標津町）	良質な生乳を生かした牛乳や乳製品を製造する工場	JA中標津 0153-72-3275
技術・情報関連施設	空知	岩見沢市農業技術情報施設（岩見沢市）	土壌分析、土づくりの推進、農業情報の収集、提供、農作物に関する試験研究などの実施および農業技術の普及	農業試験場0126-56-2314 土壌分析施設0126-56-2538
		花・野菜育苗施設（美唄市）	花（冷房育苗）や野菜の生産施設	JAびばい農産園芸課 0126-63-2161
		ホクレン肥料㈱空知工場（三笠市）	全工程をコンピューターシステム管理した肥料工場	直接 01267-3-2141
		ホクレン滝川種苗生産センター（滝川市）	主要畑作物・食用ユリの原種生産、水稲種子精選や調製、供給、野菜のプラグ苗の生産供給	直接 0125-24-2075
		ホクレン滝川スワイン・ステーション（滝川市）	清浄豚（SPF）の維持と増殖、肉豚性能調査、優良な種豚の供給	直接 0125-75-3055
		ホクレン農業総合研究所長沼研究農場（長沼町）	本道に適応した主要作物の優良品種の研究開発	直接 0123-88-3330
		雪印種苗中央研究農場（長沼町）	飼料作物、肥料、園芸作物に関する研究や開発	直接 0123-84-2121
	石狩	札幌市農業支援センター（札幌市）	都市型農業推進のための総合支援施設	直接 011-787-2220
		恵庭市農業活性化支援センター（恵庭市）	新規就農の育成・支援や各種栽培試験の実施	直接 0123-39-6057
	後志	北海道原子力環境センター（共和町）	農畜産物の放射能分析、地域農業振興のための各種試験など	直接 0135-74-3131
	胆振	施設野菜省エネルギーモデル団地（壮瞥町）	温泉熱を利用した施設野菜団地	壮瞥町役場 0142-66-2121
	日高	平取町農業支援センター（平取町）	土壌診断、各種情報収集システムによる営農支援施設	直接 01457-2-2383
		新冠町黒毛和種牛等受精卵移植センター（新冠町）	黒毛和種などの優良血統牛の受精卵移植	直接 0146-47-3930
		新ひだか町農場実験センター（新ひだか町）	花き、野菜経営のための試験研究の拠点施設	直接 0146-35-3344
		�家畜改良センター新冠牧場（新ひだか町）	畜産新技術を活用した効率的な家畜改良増殖を推進	直接 0146-46-2011
		新ひだか町和牛センター（新ひだか町）	みついし牛を中心とした繁殖から肥育まで一貫生産	直接 0146-32-3522
	渡島	北斗市農業振興センター（北斗市）	土壌診断機能を備えた営農指導拠点施設	直接 0138-77-7667
		地熱・温泉熱利用園芸施設（森町）	温泉水と地熱を利用した園芸施設	森町役場農林課 01374-2-2181
	檜山	厚沢部町農業活性化センター（厚沢部町）	土壌診断、試験栽培、技術指導など農業指導拠点施設	厚沢部町役場 0139-64-3311
		せたな町農業センター（せたな町）	土壌診断、試験栽培、研修施設	せたな町役場 0137-84-5111
	上川	旭川市農業センター「花菜里ランド」（旭川市）	野菜や花きの栽培試験研究、土壌分析、体験農園、農産加工室	直接 0166-61-0211
		名寄市農業振興センター（名寄市）	土壌診断、営農技術情報の提供	直接 01655-3-2258
		美瑛町農業技術研修センター（美瑛町）	土壌診断、試験栽培、農産加工研究施設	直接 0166-92-1024
		和寒町農業活性化センター「農想塾」（和寒町）	試験展示圃の設置や研究、土壌分析、農業情報の発信、担い手の研修	直接 0165-32-2010
		剣淵町農業振興センター（剣淵町）	土壌診断、気象情報、農産物加工、営農技術情報の提供、農業ブランド化の推進	直接 0165-34-3311
		美深町農業振興センター（美深町）	土壌診断、気象情報、農産物加工、営農技術情報の提供、試験展示圃の管理運営	直接 01656-2-1130
		幌加内町農業技術センター（幌加内町）	そばなどに関する栽培試験研究や土壌診断	直接 0165-35-2604
	留萌	初山別村農業水産加工試験研究センター（初山別村）	アイスクリームをはじめとする農畜産加工試験研究施設	初山別村役場 01646-7-2211
		遠別町農業振興センター（遠別町）	農業技術指導、土壌診断、気象情報提供、農産加工試験などを行う施設	遠別町役場 01632-7-2111
	オホーツク	（公財）オホーツク財団オホーツク圏食品加工技術センター（北見市）	地域食材を活用した試験研究センター	直接 0157-36-0680
		北見農協連　農産物検査センター（北見市）	高速液体クロマトグラフ質量分析機	北見農協同組合連合会 0157-23-9005
		斜里町農業振興センター（斜里町）	土壌診断、気象情報、農畜産物加工、各種営農情報の提供	直接 0152-23-6045
		オホーツク農業科学研究センター（興部町）	農業と農村の活性化を目指した地域農業支援団体	直接 0158-82-2121
	十勝	帯広市農業技術センター（帯広市）	担い手の育成、営農技術情報の提供など地域農業の振興を図ることを目的とした施設	直接 0155-59-2323
		帯広市畜産物加工研修センター（帯広市）	ソーセージやチーズなどの手づくり体験ができる施設	直接 0155-60-2514
		日本甜菜製糖㈱総合研究所（帯広市）	てん菜と製糖技術を中心とした基礎研究	直接 0155-48-4102
		十勝農業協同組合連合会農業化学研究所（帯広市）	土壌、飼料、堆肥などの分析	直接 0155-37-4325
		北海道立十勝圏地域食品加工技術センター（帯広市）	地域のニーズに対応した食品加工に関する試験研究、検査分析、技術支援	直接 0155-37-8383
		十勝農協連　農業情報センター（帯広市）	農業経営に係るシステムの運用など	直接 0155-21-3333
		士幌町農協　水耕栽培施設（士幌町）	温泉熱利用水耕栽培施設（ミニトマト、花きなど）	JA士幌町 01564-5-2311
		JA全農　ET研究所（上士幌町）	受精卵移植に関する研究	直接 01564-2-5811
		国立研究開発法人 農業・食品産業技術総合研究機構北海道農業研究センター芽室研究拠点（芽室町）	畑作物に関する研究と開発	直接 0155-62-2721
		（一社）家畜改良事業団　北海道家畜能力検定場（幕別町）	黒毛和種の改良育成のための拠点施設	直接 0155-54-2802
		陸別町畜産物加工研修センター（陸別町）	陸別産を使った特産品の開発	直接 0156-27-2192
	根	中標津町畜産食品加工研修センター（中標津町）	乳・肉製品の加工研究、研修施設	直接 0153-78-2216
農業関連資料展示施設	空知	月形樺戸博物館（月形町）	集治監の開監から廃監までと農業の歩みを展示	直接 0126-53-2399
		栗山町開拓記念館（栗山町）	開拓期に使用された農機具や生活用品を展示	直接 0123-72-6035
		新十津川町農業記念館（新十津川町）	開拓当時からの農業の歴史を展示	直接 0125-76-2995
	石狩	雪印メグミルク酪農と乳の歴史館（札幌市）	北海道酪農の歴史と牛乳や乳製品製造機器および製造工程模型を展示	直接 011-704-2329
		国指定史跡旧島松駅逓所（北広島市）	現存する道内最古の駅てい所。寒地稲作を成し遂げた中山久蔵に関する資料などの展示施設 [開館日は 4/28～11/3]	直接 011-377-5412
	後	かかし古里館（共和町）	明治から昭和中期までの農業の歴史と農機具を展示	直接 0135-73-2617
	日高	馬事資料館（浦河町）	軽種馬などの博物館	浦河郡郷土博物館 0146-28-1342
		競走馬のふるさと日高案内所（新ひだか町）	サラブレッドに関する情報や乗馬施設などの案内施設	直接 0146-43-2121
		二十間道路牧場案内所（新ひだか町）	軽種馬牧場の見学を受け付ける施設	新ひだか町役場静内総合行政局商工労働観光課0146-43-2111（代表）
	上川	世界のめん羊館（士別市）	世界各国の珍しい羊を展示	直接 0165-23-1582
		北国博物館（名寄市）	開拓当時の生活や農業の歴史を北国にこだわって展示	直接 01654-3-2575
		拓真館（美瑛町）	写真家の前田真三氏が開設した農村景観写真館	直接 0166-92-3355
		土の館（上富良野町）	世界のプラウと土の博物館。2014 年機械遺産認定	直接 0167-45-3055
		花人の舎（中富良野町）	ラベンダー資料館	（有）ファーム富田 0167-39-3939
	オホーツク	北見ハッカ記念館（北見市）	昭和初期のハッカ工場で使用された機材や文献を展示	直接 0157-23-6200
		ふるさと館JRY（湧別町）	屯田兵によってつくられた町の農業の歴史を展示	直接 01586-2-3000
		ひがしもこと乳酪館（大空町）	ガラス張り通路からチーズの製造工程をゆっくり見学、バターやアイスクリームづくり体験	直接 0152-66-3953
	十勝	馬の資料館（帯広市）	十勝の開拓に活躍した馬に関する歴史資料館	帯広市観光課 0155-65-4169
		日本甜菜製糖㈱ ビート資料館（帯広市）	てん菜製糖業の歴史資料館	直接 0155-48-8812
		帯広百年記念館（帯広市）	十勝の歴史、産業、自然に関する展示	直接 0155-24-5352
		とかち農機具歴史館（帯広市）	帯広や十勝農業の発展を支えた農機具およそ 150 点を展示	帯広市農政課 0155-59-2323

		視察場所など	内 容	連絡先
農業関連資料展示施設	十勝	士幌農協記念館（士幌町）	士幌農業の歴史や農協の各種事業などを展示	直接 01564-5-3511
		豆資料館「ビーンズ邸」（中札内村）	遊び感覚で豆の知識が得られる施設	直接 0155-68-3390
		郷土資料室および分室（音更町）	音更の歴史や自然に関する資料を収集、展示しており自由に縦覧できる施設	教育委員会生涯学習課 0155-42-2111
	釧路	神馬事記念館（釧路市）	釧路馬産の歴史資料館（事前申し込み必要）	釧路市役所農林課 0154-23-5151
		ふるさと情報館「みなくる」（鶴居村）	基幹産業である酪農の歴史や牧場のジオラマ、「北海道の簡易軌道（鶴居簡易軌道）」などがある郷土資料館	直接 0154-64-2200
		太田屯田開拓記念館（厚岸町）	屯田兵によってつくられた地区の農業の歴史を展示	直接 0153-52-3599
都市と農村の交流施設	空知	毛陽交流センター（岩見沢市）	加工体験施設、農産物直売所を備えた都市農村体験施設	直接 0126-47-3175
		岩見沢市栗沢クラインガルテン（岩見沢市）	道内初の滞在型観光農園や市民農園、学習田、農産加工が行える農業体験施設	直接 0126-34-2150
		サンファーム三笠（三笠市）	道の駅。農産物販売、農産加工が行える農業体験施設	直接 01267-2-5775
		アップルガーデン（砂川市）	古材を活用した木造倉庫、農作業体験、農産物販売、各種イベント	直接 0125-54-2036
		アグリ工房まあぶ（深川市）	「農を学び、遊ぶ」をコンセプトに創設された都市農村体験施設	直接 0164-26-3333
		ゆにガーデン（由仁町）	300種類を超す日本最大のハーブ庭園	直接 0123-82-2001
		ローズガーデンちっぷべつ（秩父別町）	約3,000本のバラなど、各種の花がある交流型野外レクリエーション施設	直接 0164-33-3833
	石狩	サッポロさとらんど（札幌市）	「都市と農業の共存」をテーマとした農業体験交流施設	直接 011-787-0223
		ミルクの郷（札幌市）	サツラク農協の牛乳工場と体験施設	直接 011-785-7800
		ホクレン食と農のふれあいファーム「くるるの杜」（北広島市）	農作業から収穫物の加工、調理までを一度に体験できる複合型農業体験施設	直接 011-377-8700
	後志	おたる自然の村（小樽市）	自然体験と農業理解をテーマとした研修宿泊施設	直接 0134-25-1701
		蘭越町「街の茶屋」（蘭越町）	蘭越米を使用した握りたてのおにぎりや釜飯を販売	直接 0136-57-5239
		レストラン「マッカリーナ」（真狩村）	地域農業の情報発信の核となる料理研修兼食材提供施設	真狩村役場 0136-45-2121
	胆振	札内高原館（登別市）	廃校になった小中学校を活用したバターやアイスの加工体験施設	㈱のぼりべつ酪農園 0143-85-3184
		壮瞥情報館 i（アイ）（壮瞥町）	道の駅。地元産の果物、野菜などの直販、観光農園情報	直接 0142-66-3600
		こぶしの湯あつま（厚真町）	アイスクリームづくりなど、体験できる加工実習室を備えた都市農村交流施設	直接 0145-26-7126
		洞爺湖町農業研修センター「アグリ館・とれた」（洞爺湖町）	市民農園、農産物直売所を併設した農業研修センター	直接 0142-89-3000
	日高	アラビアンホースプランテーション（日高町）	純血アラブ馬で外乗り専門の乗馬が楽しめる	直接 01457-6-2182
		OK Ranch（日高町）	初心者向けの体験乗馬や海を見ながらのホーストレッキングコースがある	直接 01456-2-1347
		遊馬らんどグラスホッパー北海道新冠（新冠町）	小さな子どもから大人まで、乗馬体験が楽しめる	直接 0146-49-5511
		にいかっぷホロシリ乗馬クラブ（新冠町）	太平洋を望む丘の上で乗馬体験、ホーストレッキングが楽しめる	直接 0146-47-3351
		浦河町乗馬公園（浦河町）	体験乗馬からレッスン主体の乗馬まで楽しめる	直接 0146-28-1304
		うらかわ優駿ビレッジ「AERU」（浦河町）	馬に初めて触れる初心者から、上級者まで楽しめるホーストレッキングコース	直接 0146-28-2111
		短角王国 高橋牧場（えりも町）	えりも短角牛との触れ合い（牛乳学や給餌体験）、肉直売、交流施設「守人（まぴりっと）」	直接 01466-3-1129
		MKRanch（新ひだか町）	さまざまな品種の馬とのコミュニケーションに特化した施設	直接 0146-34-2711
		ライディングヒルズ静内（新ひだか町）	馬との触れ合いや体験乗馬を通じての情操教育をはじめ、健康づくりや後継者育成を図る施設	直接 0146-42-1131
	渡檜	八雲町活性化施設ファームメイド遊楽部1号館（八雲町）	アイスクリーム、バター、ソーセージづくりなどの体験（要予約）	八雲町役場農林課 0137-62-2203
		農業活性化センター宿泊研修施設 うずら温泉（厚沢部町）	農業や農村の良さを実感できる研修宿泊施設	直接 0139-65-6366
	上川	そばの里江丹別（旭川市）	そば打ち体験（要予約）	直接 0166-73-2117
		江丹別若者の郷（旭川市）	宿泊研修施設、ロッジ、市民農園、キャンプ場など	直接 0166-73-2409
		めん羊工芸館「くるるん」（士別市）	羊毛（フェルト）を使った加工体験	直接 0165-23-3793
		農畜産物加工体験交流工房「の〜む」（士別市）	農畜産物の加工体験	直接 0165-22-1114
		ふれあい館ラヴニール（美瑛町）	地元農産物の加工体験を楽しみながら、交流もできる宿泊施設	ホテル・ラヴニール 0166-92-5555
		北瑛小麦の丘体験交流施設（美瑛町）	農業、食、観光をテーマとした体験交流施設	直接 0166-92-8100
		フラワーランドかみふらの（上富良野町）	アイリス、ラベンダー、ポピーなどの花園	直接 0167-45-9480
		農産物処理加工施設（中富良野町）	パン、豆腐、みそ、アイスクリームなどの加工体験（要予約）	直接 0167-44-2123
		双民館（占冠村）	豆腐、アイスクリーム、ソーセージ加工体験（要予約）	直接 0167-56-2121
		下川町農村活性化センター「おうる」（下川町）	そば打ち、アイスクリーム、薫製、みそづくり加工（要予約）	直接 01655-4-2401
		ふれあいの家まどか（幌加内町）	調理、木工体験施設やレクリエーション室を備えた宿泊体験施設	直接 0165-38-2266
	留	都市農村交流施設「ゆうゆうそう（夕遊創）」（小平町）	農林漁業体験、農水産加工体験が行える宿泊研修施設	直接 0164-56-2380
	宗谷	沼川みのり公園（稚内市）	市民農園、収穫体験農園、畜産物加工実習	直接 0162-74-2077
		アグリパーク「食彩工房もうもう」（中頓別町）	個人、グループ問わず農産物加工体験、研究ができる	直接 01634-6-2211
		湯の杜ぽっけ（豊富町）	地場産品販売や農産加工室利用など都市農山村交流施設	直接 0162-73-6850
	オホーツク	北見市端野町農業振興センター（北見市）	パン、みそ、豆腐、漬物などの加工実習	直接 0157-67-6020
		北見田園空間情報センター「にっころ」（北見市）	パンやみそなどの加工実習	直接 0157-33-2877
		網走市食品加工体験センター「みんぐる」（網走市）	農畜産物の加工体験	直接 0152-48-3210
		紋別市食品加工センター「うまいっしょ工房」（紋別市）	農畜産物の加工実習	直接 0158-23-7551
		農林漁業体験実習館 グリーンビレッジ美幌（美幌町）	農業体験や農畜産物の加工を楽しみながら、都市と農村の交流を図る宿泊研修施設	直接 0152-72-1994
		あいおい物産館（津別町）	地場産品の加工や販売の他、地元農産物の加工体験	直接 0152-75-9101
		活性化センター はなやか小清水（小清水町）	パン、豆腐、ジュース、アイスクリーム、ソーセージなどの加工体験	直接 0152-63-4111
		訓子府町農業交流センター（訓子府町）	パン、豆腐、アイスクリームなどの加工体験	直接 0157-47-2241
		香りの里ハーブガーデン（滝上町）	ハーブを利用した観光施設を含む公園	滝上町役場 0158-29-2111
		滝上町農産品加工研究センター（滝上町）	農畜産物の加工体験	滝上町役場 0158-29-2111
		メルヘンカルチャーセンター（大空町）	農畜産物の加工実習や地場特産品の製造や販売	直接 0152-75-6160
	十勝	帯広市八千代公共育成牧場（帯広市）	畜産物加工施設、宿泊施設が併設されている公共牧場	直接 0155-60-2747
		紫竹ガーデン・遊華（帯広市）	田園地方に広がる広大な観光ガーデン	直接 0155-60-2377（夏期のみ）
		帯広の森市民農園（帯広市）	都市と農村の交流施設（貸し付け農園、レストラン）	直接 0155-36-8095
		音更町ふれあい交流館すずらんど（音更町）	農畜産物の加工実習、食育や地産地消の発信	直接 0155-42-6600
		鹿追町ライディングパーク（鹿追町）	乗馬教室、ホーストレッキングも開催	直接 0156-67-2345
		新得そばの館（新得町）	新得そばの手打ち体験道場、そばレストラン、特産品販売、そばソフトクリーム（期間限定）	直接 0156-64-5888
		トムラウシ自然体験交流施設（新得町）	滝巡りなどのイベントでの自然体験	直接 0156-65-2000
		幕別ふるさと味覚工房（幕別町）	地場農産物を素材に手づくり製品をつくる	直接 0155-57-2001
	釧路	釧路市ふれあいホースパーク（釧路市）	馬に親しむ乗馬パーク	直接 0154-56-2566
		釧路市農村都市交流センター（釧路市）	農畜産物の加工体験や薬膳料理の提供	直接 0154-56-2233
		釧路市音別町体験学習センター「こころみ」（釧路市音別町）	アイスクリーム、ソーセージづくりができる加工施設を備えた体験学習施設	直接 01547-6-9000
		尾幌酪農ふれあい広場（厚岸町）	地場の農産物を活用した加工実習体験施設	直接 0153-56-2410
		MO-TTO かぜて（浜中町）	地場産の農畜産物および水産物を活用した加工実習施設	直接 0153-64-3000
		川湯ふるさと館（弟子屈町）	バター、チーズ、アイスクリームなどの加工体験施設	直接 015-483-2060
		鶴居村農畜産物加工施設「酪楽館」（鶴居村）	鶴居産の新鮮な生乳を使用した、チーズやアイスクリームなどの加工施設	直接 0154-64-3088
		鶴居どさんこ牧場（鶴居村）	どさんこに乗って釧路湿原国立公園を巡るトレッキング、10haの牧場を眺めながら食事が楽しめる。宿泊施設も完備	直接 0154-64-2931

		視察場所など	内容	連絡先
都市と農村の交流施設	根室	農業・農村交流館（根室市）	酪農家集団による地域の歴史や動植物に関する情報を発信する交流館とキャンプ場	（代表宅）0153-26-2181
		農産物加工体験館「食多楽」（根室市）	酪農家集団による食品加工（そば、乳製品、漬物、薫製など）の研修や実習体験	（代表宅）0153-26-2767
		根室フットパス（根室市）	酪農家集団による広大な酪農地帯を散策できる約20kmの散策道	（代表宅）0153-26-2181
		別海町農漁村加工体験施設（別海町）	パン、ベーコン、ソーセージなどの加工体験	（株）べつかい乳業興社 0153-75-2160
		別海町酪農工場乳加工体験施設（別海町）	アイスクリームやチーズなど、乳製品の加工体験	（株）べつかい乳業興社 0153-75-2160
		農業農村交流施設「クレエ」（中標津町）	地場農産物や観光施設などの総合案内、消費者や学童を対象とした加工体験施設	JA中標津 0153-72-3275
		中標津町畜産食品加工研修センター（中標津町）	乳および肉加工研修	直接 0153-78-2216
農業者グループによる直売・加工	空知	上志文ふれあいの郷（岩見沢市）	米、野菜、花苗の販売	直接 0126-44-2535
		茂世丑野菜直売所生産組合（岩見沢市）	地物米、野菜などの販売	直接 0126-45-3121
		がんばり村ファーム（三笠市）	各種農産物の販売、メロンの果肉が入ったパネトーネ（菓子）も販売	直接 0126-3-1555
		道の駅みかさ農家の店（三笠市）	各種農産物の販売	直接 0126-72-3901
		郷里の味なかむらえぷろん倶楽部（美唄市）	地区の伝統料理を農家の主婦が商品化、近隣のAコープで販売	直接 0126-69-2562
		つむぎ屋（美唄市）	乾燥野菜の製造所	要覚 0126-62-2055
		アンテナショップPipa（美唄市）	地元特産品や各種農産物の販売	直接 0126-62-4343
		江部乙農産物加工研究会（滝川市）	りんごジャム、しそジュース、漬物などの製造販売	直接 0125-75-2828
		総合交流ターミナルたきかわ（滝川市）	道の駅にある農家などの組織で運営している直売所	直接 0125-26-5500
		JAたきかわ 菜の花館（滝川市）	地元の新鮮野菜の直売所および菜種の搾油施設	直接 0125-74-5510
		ティ・エスフードシステム直売所（歌志内市）	地元でつくられた葉野菜の直売	直接 0125-74-6065
		SUN工房あぜみち（妹背牛町）	野菜のほか、パン、豆腐、大福、トマトジュースなどの加工品の販売	JA北いぶき 0164-32-4201（内線1）
		JAきたそらち農畜産物直売所・ecir（深川市）	農畜産物などの販売	直接 0164-25-1616
		JAきたそらち精米施設（深川市）	精米施設見学	直接 0164-26-2610
		味わい手作り工房「土梨夢」（奈井江町）	ちひろ餅、クッキー、トマトジュースの製造販売	直接 0125-65-4727
		とどけよう倶楽部 ゆめや（浦臼町）	100品を超える野菜、花き、加工品、手芸品などの直売	直接 080-3230-6028
		マオイの丘公園農産物直売所（長沼町）	道の駅「マオイの丘公園」内にある複数大型農産物直売所	道の駅 0123-84-2120
		夢きらら（長沼町）	50種類以上の農産物が並ぶ直売所、ソフトクリーム販売	直接 0123-89-2026
		未楽瑠加工施設（長沼町）	みそ、漬物の加工販売	直接 0123-89-2026
		北長沼水郷公園 農産物直売所（長沼町）	野菜、ソフトクリーム、みそ、漬物、こうじなどの直売	直接 0123-89-2181
		舞鶴スポーツ公園直売所（長沼町）	野菜の直売	直接 0123-84-2015
		西長沼ポケットパーク直売所（長沼町）	野菜、漬物の直売所	直接 0123-88-2235
		ゆめの郷加工施設（長沼町）	みそ、漬物、こうじの販売加工	直接 0123-89-2320
		値ごろ市（栗山町）	町内約60戸の農業者による野菜の直売	直接 0123-72-2977
		なんぽろみどり会直売所（南幌町）	野菜、漬物、ジャムなどの直売	直接 090-7055-5693
		北竜町農畜産物直売所 みのりっち北竜（北竜町）	農畜産物などの販売	直接 0164-34-2455
	石狩	しのろとれたてっこ生産者直売所（札幌市）	地元の篠路で生産された農産物を中心に新鮮な野菜を販売	直接 011-771-2130
		とれたてっこ南生産者直売所（札幌市）	農畜産物のほか、山菜、花苗、加工品、近隣果樹園の旬のフルーツをふんだんに出品、販売	直接 011-592-6141
		のっぽろ野菜直売所（江別市）	約170戸の農家が50種類以上の新鮮野菜などを販売（「ゆめちからテラス」内）	直接 011-382-8319
		江別河川防災ステーション農産物直売所（江別市）	江別河川防災ステーションに隣接する直売所	直接 011-381-1700
		野菜の駅 ふれあいファームしのつ（江別市）	江別市篠津地区にあった2つの直売所が合併して平成29年に誕生。農業者が運営する直売所	直接 011-389-6626
		十歳農産物直売所（千歳市）	地元朝採り新鮮野菜の直売	直接 0123-27-0568
		かのな（花野菜）（恵庭市）	道の駅「花ロードえにわ」に隣接し、花苗などが豊富	直接 0123-36-2700
		北広島農産物直売所（北広島市）	JA道央北広島支所隣接地にて新鮮な野菜を販売	直接 011-372-3078
		JAいしかり地物市場とれのさと（石狩市）	朝採り新鮮野菜、海産物、畜産品、加工品、花苗の販売、飲食店併設。災害時対応ファーマーズマーケット	直接 0133-75-4500
		JA北いしかり農産物直売所「はなポッケ 上当別店」（当別町）	野菜、果物、花、米、豚肉、加工品の直売所	直接 0133-26-3484
		北欧の風 道の駅とうべつ農産物直売所「はなポッケ 道の駅店」（当別町）	野菜、果物、花、米、豚肉、加工品の直売所	直接 0133-27-5263
		しんしのつ産直市場（新篠津村）	道の駅内で、新鮮野菜、花、加工品のほか数量限定の弁当やスイーツを販売	直接 0126-58-3021
	後志	おたる自然の村市民体験農園直売所（小樽市）	市民体験農園を運営する農業者が野菜などを販売する直売所	若林省吾（会長）0134-26-1571 塚本秀雄（副会長）080-6095-2439
		忍路水車の会水車プラザ（小樽市）	忍路水車の会に所属する農業者が運営する直売所	
		トワ・ヴェールⅡ（黒松内町）	農家直売のほか、黒松内町で生産された加工品の販売	直接 0136-71-2222
		ふるさとの丘直売センター（蘭越町）	旬の野菜やアイスクリームを製造販売する農家の直売施設	直接 0136-55-3251
		ニセコビュープラザ農産物直売コーナー（ニセコ町）	道の駅に開設された農家の直売施設	ニセコ町 0136-44-2121
		くっちゃんマルシェ「ゆきだるま」（倶知安町）	地元の新鮮な野菜や菓子を販売	直接 0136-55-5554
	胆振	道の駅・とうや湖（洞爺湖町）	道の駅。農水産物や加工品など町内の特産品を直売	直接 0142-87-2200
		道の駅あびらD51ステーション農産物直売所「ベジステ」（安平町）	地元の農畜産物や加工品を直売	道の駅あびらD51ステーション 0145-29-7751
		ファーム453（伊達市）	地元特産物の直売	直接 0142-68-6529
		だて歴史の杜 伊達市観光物産館（伊達市）	道の駅。農水産物や地元の特産品を直売	直接 0142-25-5567
		水の駅直売所（洞爺湖町）	商品はメロン、ピーマン、トマト、スイートコーン、かぼちゃなどの野菜	直接 0142-89-3108
		地場特産品直売センター「あぶた」（洞爺湖町）	道の駅。農水産物や加工品など町内の特産品を直売	直接 0142-76-5501
		安平町農産物加工研究センター（安平町）	地元農産物による加工品研究施設	安平町役場 0145-22-2515
		ぽぽんた市場（むかわ町）	地元特産物の販売	ぽぽんた市場運営管理組合 0145-42-2133
	日高	日高町農産物直売所「アン・アン」（日高町）	野菜、草花、漬物などの直売	直接 01457-6-3335
		ショップ＆コミュニティスペース「さるくる」（日高町）	地元農産物、特産品の直売所	直接 090-2069-6217
		直売所「どりーむハウス」（日高町）	地元農産物の直売	直接 01456-2-3802
		軽トラ市（新冠町）	地元農産物の直売	新冠町観光協会 0146-45-7300
		畑のうた農産物直売所（浦河町）	新鮮な野菜の直売	直接 0146-26-7771
		野菜直売所 カシュカシュ（浦河町）	地元農産物の直売	直接 0146-22-4933
		もぎたて朝市（新ひだか町）	JAしずない女性部による地元農産物の直売	JAしずない 0146-42-1051
		かんとりーママ 木よう市（新ひだか町）	農家による地元農産物の直売	直接 0146-46-2762
		直売店 みな○（まる）（新ひだか町）	地元農産物の直売	直接 090-2076-2733
		花き・野菜直売所「春那」（新ひだか町）	地元農産物の直売	直接 090-8277-1339
		三石直売所「菜花」（新ひだか町）	三石の新鮮な取りたて野菜や花きなどの直売	直接 0146-37-6116
	渡島	函館牛乳あいす118（函館市）	（株）函館酪農公社直営で、牛乳、アイスクリーム、ソフトクリーム、乳製品など販売	直接 0138-58-4460
		六輪村（北斗市）	常時20品目以上の新鮮な季節の野菜、赤飯、漬物、トマトジュースの販売	直接 0138-73-6998
		ファーマーズマーケットあぐりへい屋（北斗市）	「見る、知る、選ぶ、味わう」体験型直売所。道南全域の野菜や加工品をそろえ、地域消費者と生産者が交流	JA新はこだて大野基幹支店 0138-77-7772
		おぐにビーフ株式会社（北斗市）	肥育から販売まで一貫して行う農場。ステーキ、すき焼き、焼肉用や味付け肉も販売	直接 0138-77-7615
		木古里路（木古内町）	新鮮な季節の野菜、大福餅、漬物の販売	JA新はこだて木古内支店 01392-2-3151
		道の駅なないろ・ななえ（七飯町）	西洋式農法発祥の地として農産物などの販売	直接 0138-86-5195

		視察場所など	内　容	連絡先
農業者グループによる直売・加工	渡檜	川瀬チーズ工房（長万部町）	チーズ、ジェラートの製造や販売	直接 01377-6-7208
		うまいベイこだわり工房（今金町）	しそジュース、黒豆ジュース、米、手づくり無添加みその販売	直接 0137-82-1770
	上川	屯田の里（稲穂の会）（旭川市）	漬物、みそ、豆腐、しょうゆの製造や販売	直接 0166-48-8681
		旭正2生活改善グループ（未ちゃん家）（旭川市）	漬物、みそ、きな粉、こうじの製造や販売	直接 0166-32-3602
		ファーマーズマーケット　ひびきあい（士別市）	農産物、農産加工品の直売	JA 北ひびき 0165-23-2115
		カントリー・ママ・クラブ（名寄市）	にんじんピクルス、もち米こうじの手づくりみそを販売	斉藤美知 01654-2-4105
		㈱もち米の里ふうれん特産館（名寄市）	もち米生産農家による餅の販売	直接 01655-3-2332
		ふらのジャム園共済農場（富良野市）	ジャムづくり	直接 0167-29-2233
		㈲協和農産　協和の里のもち工房　愛ふくふく（愛別町）	あん餅（白、豆、発芽玄米、よもぎなど）、しゃぶしゃぶ餅、切り餅など餅製品の製造販売	直接 01658-6-6980
		美瑛町置杵牛農産物加工交流施設（美瑛町）	豆類、果樹、野菜など農産物の加工品の製造	JA びえい販売部 0166-92-1258
	留萌	留々菜（留萌市）	農産物直売、農産加工品の販売	JA 南るもいAコープルピナス 0164-42-2104
		農林水産物直売所「北極星」（初山別村）	日本海の眺望が抜群でユニークな外観	直接 0164-67-2234
	オホ	グリーンヒル905（網走市）	大規模な野菜直売所。豆腐などの加工販売	直接 0152-61-8000
	十勝	（農事）共働学舎新得農場（新得町）	ナチュラルチーズの販売、手づくりバター体験、チーズづくり体験	直接 0156-69-5600
		めむろファーマーズマーケット　あいす屋（芽室町）	アイスクリーム、ヨーグルトの製造販売	直接 0155-62-5319
		本別まめ工房（本別町）	地場産豆類を利用した豆腐、みそ、ようかんの加工販売	JA 本別町 0156-22-3111
	釧路	この町を愛すの家モ～ちゃん（釧路市音別町）	地場産生乳を使用した手づくりアイスクリーム、ソフトクリーム	直接 01547-6-3007
		生きがい野菜倶楽部直売所（鶴居村）	地場産新鮮野菜の直売	直接 0154-64-2715（代表・八木沢祐二宅）
企業などによる農畜産物加工施設	空知	佐藤食品工業㈱（岩見沢市）	きらら397の無菌パック「サトウのごはん」製造販売	直接 0126-23-4387
		JA いわみざわ玉葱堆肥製造施設（岩見沢市）	腐敗たまねぎともみ殻の堆肥化および販売	直接 0126-24-1281
		美唄農産物高度利用研究所（美唄市）	ハスカップなどの加工と開発	直接 0126-62-2711
		㈲岩瀬牧場（砂川市）	酪農家による牛乳、手づくりアイスクリームの製造販売	直接 0125-53-5071
		南幌町農産物加工センター　ぽけっとハウスなんぽろ（南幌町）	特産物のキャベツなどを使用したキムチの製造や販売	直接 011-378-2352
		秩父別町農産物加工センター「くるり」（秩父別町）	農産物の加工研修、地場産品の有効利用や特産品開発	秩父別町役場 0164-33-2111
		沼田町農産加工場（沼田町）	トマトジュース、トマトケチャップなどの製造	直接 0164-35-1206
	石狩	八剣山ワイナリー（札幌市）	約30品種の醸造用ブドウを生産。ジュースやジャムなども販売	直接 011-596-3981
		㈱Jファーム札幌工場（札幌市）	温室型植物工場で高度栽培環境制御システムにより高糖度ミニトマトを生産。ジュースなども販売	直接 011-768-8655
		㈱アド・ワン・ファーム丘珠工場（札幌市）	養液栽培でベビーリーフなどの野菜を栽培し、生産から流通販売までを実施	直接 011-374-8655
		千歳ワイナリー（千歳市）	管内のハスカップ果実を使ったフルーツワイン、道内のぶどうを使ったワインの製造販売	直接 0123-27-2460
	後志	特産物手づくり加工センター（黒松内町）	手づくり加工肉、乳製品の製造販売	直接 0136-72-4416
		ニセコフロマージュ（ニセコ町）	ストリングチーズを中心とした乳製品工場	直接 0136-44-3471
		ニセコチーズ工房㈲（ニセコ町）	ストリングチーズ、ゴーダチーズの乳製品工場	直接 0136-44-2188
		ニセコヌプリホルスタインズ「ミルク工房」（ニセコ町）	地元産のミルクを使用したアイスクリーム、ヨーグルト、菓子の製造や販売	直接 0136-44-3734
		真狩フラワーセンター（真狩村）	ユリを中心とした花の集出荷、販売	直接 0136-48-2007
		クレイル㈱（共和町）	カマンベールチーズを中心とした乳製品工場	直接 0135-62-7457
		りんご処理加工施設（余市町）	りんごジュース「りんごのほっぺ」製造	JA よいち 0135-23-3121
	胆振	㈱のぼりべつ酪農館（登別市）	牛乳、アイスクリーム、プリン、チーズ、ソーセージの製造	直接 0143-85-3184
		プライフーズ㈱伊達工場（伊達市）	年間900万羽を処理する工場。ひなの育成から加工処理までを一貫製造を行う	直接 0142-24-2211
	日高	SIG びらとり（平取町）	健康豚による安全な手づくりハム、ソーセージの生産	直接 01457-2-3986
		北海道日高乳業㈱（日高町）	国内初の本格生産をした「モッツァレラチーズ」の他、バター、乳飲料などの製造	直接 01456-2-1071
	渡島	カール・レイモン函館㈱（函館市）	地元の原材料を使用した本格的ハム、ソーセージ製造	直接 0138-55-4596
		山川牧場ミルクプラント（七飯町）	アイスクリーム、ヨーグルト、チーズの製造、販売	直接 0138-67-2114
	檜山	札幌酒精㈱　厚沢部工場（厚沢部町）	さつまいもなどを使った焼酎の製造	直接 0139-65-2500
		㈱奥尻ワイナリー製造工場（奥尻町）	奥尻島で育ったブドウで果実酒の製造	直接 01397-3-3290
	上川	㈲コントラクター旭川（旭川市）	大規模米粉製粉施設	直接 0166-34-4757
		ふらのピッツァ工房（富良野市）	ふらのチーズを使用したピザの製造販売	㈱ふらの農産公社 0167-23-1156
		ふらのアイスミルク工房（富良野市）	富良野産素材によるアイスミルクの製造販売	㈱ふらの農産公社 0167-23-1156
		ふらのチーズ工房（富良野市）	チーズの製造、製造工程の見学	㈱ふらの農産公社 0167-23-1156
		ふらの手作り体験工房（富良野市）	バター、パン、チーズ、アイスクリームづくり体験	㈱ふらの農産公社 0167-23-1156
		ワイン工場（富良野市）	ぶどう果樹研究所、ワインづくりの工程見学	直接 0167-22-3242
		㈱鷹栖町農業振興公社（鷹栖町）	トマトジュースの製造販売	直接 0166-87-2938
		農産物処理加工施設（東神楽町）	冷凍野菜、トンネルフリーザー、冷凍庫	JA ひがしかぐら 0166-83-2321
		南富良野町農産物処理加工センター（南富良野町）	馬鈴しょ、かぼちゃ、スイートコーン、くまささ茶などの加工製造施設	㈱南富良野町振興公社 0167-52-3012
	留萌	風土工房　こさえ～る（留萌市）	みそ、豆腐、パンづくり、そば打ち体験	直接 0164-43-4556
		国稀酒造（増毛町）	地元産米を使用した日本酒醸造施設（全体の1割）	直接 0164-53-1050
		増毛フルーツワイナリー（増毛町）	増毛産果物を使用したシードルなどの製造施設	直接 0164-53-1668
		てしおキムチ工房（天塩町）	各種キムチの製造販売	直接 01632-2-3377
		べこちちファクトリー（天塩町）	自家生乳を使用したチーズ、ソフトクリーム、牛乳の製造販売	直接 01362-4-3553
		株式会社宇野牧場（天塩町）	自家生乳を使用したスイーツ「トロケッテ・ウーノ」などを製造販売。牧場カフェ「UNO CAFE」も経営	直接 01632-2-3218
	宗谷	牛乳と肉の館（猿払村）	第3セクター方式による乳製品加工販売施設	直接 01635-2-3288
		山奥の茶屋べここ（浜頓別町）	自家生産乳の販売	直接 01634-2-4563
		高橋牧場　チーズ工房（中頓別町）	フランス農家のカマンベール伝統製法によるチーズの生産および販売	直接 01634-6-1598
		アイスクリームとチーズ工房「レティエ」（豊富町）	酪農家による手づくりチーズ、アイスクリームの製造販売	直接 0162-82-1300
		㈱豊富牛乳公社（豊富町）	日本の最北部にあるパック入り牛乳、ヨーグルトの生産工場	直接 0162-82-2576
		ferme ～ミルクカフェ＆雑貨　フェルム～（豊富町）	地場産牛乳を使用したソフトクリームと自家製で無農薬野菜のスムージーなどを販売	直接 0162-73-0808
	オホーツク	グリーンズ北見（北見市）	第3セクター方式による食材加工施設	直接 0157-36-3611
		清里焼酎醸造事業所（清里町）	じゃがいも焼酎製造施設でレストハウスが併設	直接 0152-25-2227
		ノルディックファーム（遠軽町）	20種類以上のジェラートアイスクリーム	直接 0120-369-557
		ノースプレインファーム（興部町）	自家産生乳を使用した乳製品の製造販売	直接 0158-88-2000
		㈲冨田ファーム（興部町）	自家生乳,乳製品の製造販売、ファームイン、搾乳など各種体験（コロナ対策により受け入れ中止）	直接 0158-82-2603
	十勝	よつ葉乳業㈱　十勝主管工場（音更町）	牛乳や乳製品の製造、生乳処理量全道一	直接 0155-42-2121
		十勝☆夢mill（音更町）	小麦生産者と全量直接契約を結んでいる、十勝初のロール式小麦製粉工場	㈱山本忠信商店 0155-31-1168
		十勝品質事業協同組合　ナチュラルチーズ共同熟成庫（音更町）	モール温泉水を利用した十勝ラクレットチーズモールウォッシュの製造	直接 0155-67-6080
		十勝川温泉旅館協同組合　道の駅ガーデンスパ十勝川温泉（音更町）	音更大袖振大豆を使用した食品加工体験	直接 0155-46-2447
		士幌町農協　澱粉工場（士幌町）	大規模でん粉工場	直接 01564-5-2313
		㈲十勝しんむら牧場（上士幌町）	ミルクジャム、放牧牛乳などの製造販売	直接 01564-2-3923

	視察場所など	内 容	連絡先
十勝	Dream Dolce（ドリームドルチェ）（上士幌町）	自家生産の生乳を加工したアイスクリームの製造や販売	直接 01564-9-2277
	㈲MC コーポレーション鹿追チーズ工房（鹿追町）	チーズやソフトクリームの製造販売	直接 0156-67-2537
	カントリーホーム風景（鹿追町）	ヨーグルト、アイスクリームなどの製造販売	直接 0156-67-2382
	ホクレン清水製糖工場（清水町）	てん菜製糖工場	直接 0156-62-2105
	十勝千年の森㈲ ランラン・ファーム（清水町）	ヤギ乳チーズなどの製造販売	直接 0156-63-3000
	㈲あすなろファーミング（清水町）	低温殺菌牛乳、ヨーグルトなどの製造販売	直接 0156-62-2277
	清水町農協 農産物加工施設（清水町）	にんにくなどの加工	直接 0156-63-2525
	日本甜菜製糖㈱ 芽室製糖所（芽室町）	てん製糖量東洋一の工場	直接 0155-62-3111
	明治なるほどファクトリー十勝（芽室町）	チーズ館併設。ナチュラルチーズ、クリームなどの製造	直接 0155-61-3710
	南十勝農産加工農業協同組合連合会（中札内村）	東洋一の1万t容量を誇るでん粉貯蔵施設を有する	直接 0155-67-2126
	㈱十勝野フロマージュ（中札内村）	チーズ、アイスクリームなどの製造販売	直接 0155-63-5070
	㈱花畑牧場（中札内村）	チーズ、菓子の製造販売	直接 0120-929-187
	㈱岡本農園（中札内村）	トマトゼリーなどの製造販売、野菜などの農産物の販売	直接 0155-68-3206
	雪印メグミルク㈱ 大樹工場（大樹町）	さけるチーズ、カマンベールチーズの製造	直接 01558-6-2121
	㈲半田ファーム（大樹町）	チーズ、牛乳などの製造販売	直接 01558-6-3182
	ZENKYU FARM（広尾町）	チーズ、放牧牛乳などの製造販売	直接 01558-5-2158
	㈲NEEDS（幕別町）	チーズの製造販売、チーズづくり体験	直接 0155-57-2511
	ミルキーハウス㈲ メニーフィールド ディリーファーム（幕別町）	チーズの製造販売	直接 01558-8-2973
	北王農林株式会社（幕別町）	農産物の販売、漬物などの農産加工品の製造販売、農産物加工レストラン、農福連携	直接 0155-56-5656
	池田町ブドウ・ブドウ酒研究所（池田町）	ワインなどの製造工程見学など	直接 015-572-2467
	㈲ハッピネスデーリィ（池田町）	アイスクリーム、チーズなどの製造販売	直接 015-572-2001
	㈾豆屋とかち 岡女堂本家（本別町）	十勝産の豆を原料とする甘納豆	直接 0156-22-5981
	北海道糖業㈱ 本別製糖所（本別町）	てん菜製糖工場	直接 0156-23-2121
	㈱明治 本別工場（本別町）	牛乳、クリームなどの製造	直接 0156-22-3125
	足寄町農協（足寄チーズ工房）（足寄町）	畜産物処理加工施設でチーズの研究開発を行う	足寄町農協（畜産部農産課）0156-25-7002
	東部十勝農産加工農業協同組合連合会 東部十勝澱粉工場（浦幌町）	大規模でん粉工場	直接 015-576-2418
釧路	雪印メグミルク㈱ 磯分内工場（標茶町）	「10gに切れてるバター」は、磯分内工場のみで生産	直接 015-486-2246
	㈱白糠酪恵舎（白糠町）	「食べた人が幸せな気持ちになれるチーズ」との強い思いを形にしたイタリアチーズの製造、販売	直接 01547-2-5818
根室	㈱知床興農ファーム（標津町）	牛肉や豚肉の加工、食品加工販売	直接 0153-84-2358
	雪印メグミルク㈱ なかしべつ工場（中標津町）	ゴーダチーズの生産量日本一	直接 0153-72-3281
	ラ・レトリなかしべつ（中標津町）	手づくりヨーグルト、アイスクリームの製造販売	直接 0153-72-0777
石狩	町村農場（江別市）	北海道酪農の歴史を築き、今も新しい時代の酪農にチャレンジ	直接 011-382-2155
	株式会社 kalm 角山（江別市）	自動搾乳ロボット、バイオガスプラント施設を有し、日本の酪農で初のJGAP（家畜・畜産物）認証取得	直接 011-378-6858
	エア・ウォーター農園 千歳農場（千歳市）	7haの巨大ガラス室における野菜生産（トマト、ベビーリーフ、フリルレタスの水耕栽培）	直接 0123-49-2361
後	蘭越町育苗施設（蘭越町）	大規模な共同育苗施設	蘭越町役場 0136-57-5111
胆振	農事組合法人白老牛改良センター（白老町）	地域内一貫生産の拠点施設	JAとまこまい広域白老支所 0144-82-2266
	土壌診断施設（安平町）	土壌診断施設	JAとまこまい広域 0145-27-2271
	スマートアグリ生産プラント（苫小牧市）	栽培種（トマト、ベビーリーフ）に最適な環境を創出する植物工場	株式会社Jファーム 0144-84-1850
	安平町実践農場（安平町）	アサヒメロンブランド継承のための新規就農実践農場	安平町役場 0145-22-2515
	鵡川研修農場（通称「豊城ファーム」）（むかわ町）	新規就農希望者がトマト、レタスなどの施設野菜の実践ができる研修農場	むかわ町地域担い手育成センター 0145-42-5588
日高	門別競馬場（日高町）	馬産地にある国内唯一の競馬場	直接 01456-2-2501
	サラブレッド銀座（新冠町）	西洋的な厩舎（きゅうしゃ）が建ち並ぶ牧歌的農村景観	新冠町役場 0146-47-2111
	日本中央競馬会 日高育成牧場（浦河町）	総面積1,500haで東洋一の軽種馬育成、調教総合施設	直接 0146-28-1211
	日本軽種馬協会 北海道市場（新ひだか町）	東洋一の規模を誇る軽種馬のセリ市場（6～10月）	直接 0146-45-2133
渡島	北斗市営牧場（北斗市）	大沼公園、函館山、大野平野が一望できる牧場	北斗市役所農林課（総合分庁舎）0138-77-8811
	松前藩屋敷（松前町）	歴史と伝統を生かした新しい地域産業の振興	松前町役場 0139-42-2275
	七飯町営城岱牧場（七飯町）	大野平野などを一望できる風光明媚な牧場	七飯町農林水産課 0138-65-5793
	八雲町育成牧場（八雲町）	噴火湾、市街地を一望できる牧場	八雲町役場農林課 0137-62-2203
檜	㈲厚沢部町農業振興公社（厚沢部町）	農作業の受託（町・農協による第3セクター）	直接 0139-65-6061
上川	上野ファーム（旭川市）	4,000坪の北海道ガーデン、花苗販売、納屋を改造したカフェも人気	上野ファーム 0166-47-8741
	㈱谷口農場（旭川市）	トマトもぎ、トマトジュース、トマトゼリー、野菜ジュース、甘酒、米、とうもろこし、みそ販売	直接 0166-34-6699
	美瑛選果（美瑛町）	農産物直売、レストラン	直接 0166-92-4400
	美瑛町農業担い手研修センター（美瑛町）	新規就農者などの長期研修施設	美瑛町農業振興機構 0166-92-2855
	富良野広域連合 串内牧場（南富良野町）	富良野圏域1市3町1村で共同運営する公共牧場	直接 0167-52-2794
	大雪森のガーデン（上川町）	約700種の草花が植栽されたガーデン。隣接のカフェでは上川町産ミルクを使用したジェラートを販売	直接 01658-2-4655
留	食材供給施設 「鰊番屋」（小平町）	木造番屋風造りで地域の農産物を味わえる	直接 0164-57-1411
宗谷	幌延町トナカイ観光牧場（幌延町）	国内でトナカイの群れに出合えるのはここだけ	幌延町経済課商工観光係 01632-5-1111
	㈱宗谷岬牧場（稚内市）	広大な草地を利用した酪農と肉用牛一貫生産の大規模牧場	直接 0162-76-2456
	豊富町大規模草地牧場（豊富町）	総面積1,500haを有する日本有数の公共育成牧場	豊富町振興公社 0162-82-3402
	枝幸町公共育成牧場（枝幸町）	牛舎施設に木材（地域材）を使用している公共育成牧場	直接 0163-67-5458
オホ	クッカーたんの（北見市）	自家栽培の花をドライフラワーにし、リースなどのアレンジメントを販売	直接 0157-56-2706
十勝	㈱家畜改良センター十勝牧場（音更町）	白樺並木は撮影にも使われており、高台には展望台もある	直接 0155-44-2131
	上士幌町ナイタイ高原牧場（上士幌町）	面積1,700haの広大な敷地に2,000頭を超える育成牛を放牧する日本一広い公共牧場	直接（JA上士幌町）01564-2-4025
	鹿追町ピュアモルトクラブハウス（鹿追町）	農業研修や実習を志す人たちのための滞在交流施設	直接 0156-69-7122
	新得町立レディースファームスクール（新得町）	女性専用の農業研修施設。1年間の長期研修から1カ月単位の短期研修も可能	新得町役場 0156-64-0525
	鹿追町環境保全センター（鹿追町）	資源循環型バイオガスプラント	直接 0156-66-4111
	鹿追町ワーキングセンター（鹿追町）	農畜水産物の加工研修および加工品の開発施設	直接 0156-66-2985
釧路	赤いシャッポ（釧路市阿寒町）	地場産品の直売所	JA阿寒 0154-66-2685
	㈲浜中町就農者研修牧場（浜中町）	新規就農者などの長期研修施設	JA浜中町 0153-65-2141
	標茶町育成牧場 「多和平」（標茶町）	視界360度、地平線の見える大牧場	直接 015-486-2747
	標茶町農業研修センター「しべちゃ農楽校」（標茶町）	農業の担い手確保と育成を図る施設	直接 015-488-5811
	弟子屈町営牧場 「900草原」（弟子屈町）	720度の大パノラマ	直接 015-482-5009
	ふるさと情報館「みなくる」（鶴居村）	酪農をメインに林業やタンチョウ、湿原などの情報を展示	直接 0154-64-2200
	鶴居どさんこ牧場（鶴居村）	馬で巡る大いなる自然、釧路湿原	直接 0154-64-2931
根室	新酪農村（根室市、別海町）	公団事業による東洋一の大規模経営の酪農郷	根室振興局 0153-24-5714
	㈲別海町酪農研修牧場（別海町）	新規就農希望者のための研修施設	直接 0153-77-1050

明治時代以前

天正16年（1588年）	近江の人、建部七郎右衛門がそ菜種子を持ち松前に来る。〈畑作の起源〉
寛文9年（1669年）	粟づくりが行われる。
貞享2年（1685年）	渡島国文月村（現在の大野町字文月）で新田を試みる。〈稲作の起源〉
元禄10年（1697年）	東部大野村に新田を開く。
安永8年（1779年）	松前広長、出羽の農夫を使役して東部福島村に新田を開く。
天明元年（1781年）	凶作のため水田は絶望と断定される。
寛政10年（1798年）	最上徳内、蝦夷地出張の際、虻田付近に馬鈴しょを耕作させる。〈馬鈴しょの起源〉
文化2年（1805年）	虻田、有珠に牧場を開く。〈馬牧場の起源〉
安政3年（1856年）	箱館奉行所、幕府の命により箱館厚沢部に牛とともに豚を飼育する。〈豚飼育の起源〉
安政4年（1857年）	農具を北越地方から買い入れる。〈農具移入の初め〉 米人ライス、奉行所に請い牝牛を得て搾乳を試みる。〈搾乳の起源〉
安政5年（1858年）	箱館奉行所、南部藩から牛50頭を購入、軍川付近に飼育させる。〈牛牧場の起源〉

明治時代

明治2年（1869年）	明治新政府は開拓使を東京に設置し、「蝦夷地」を「北海道」と改めて、出張所を函館に置く。北海道、奥羽大凶作。〈北海道農耕地815ha〉
明治3年（1870年）	黒田清隆、開拓使次官に任命される。
明治4年（1871年）	開拓使長官を札幌に置く。**米国農務局長・ケプロンら**を招へい。
明治6年（1873年）	札幌官園で陸稲を試作。バターを七飯試験場で試作、粉乳も製造を始める。〈バター、粉乳製造の起源〉 中山久蔵、札幌郡島松で水稲の試作に成功。農畜産の技術指導に、エドウィン・ダンを米国より招へい。
明治7年（1874年）	「屯田兵例則」の制定。北海道で初めて乳牛を輸入。
明治8年（1875年）	第1回屯田兵199戸、琴似に移住する。
明治9年（1876年）	**札幌農学校を設立し、米国よりクラーク博士を招へい。**農業現術生取扱例則を制定し学資を与えて農牧業を伝習。
明治10年（1877年）	開拓使札幌本庁、食糧自給対策として北海道産の穀物を常食とするよう奨励。札幌官園を札幌勧業試験場と改める。
明治11年（1878年）	第1回農業仮博覧会を10月に札幌で開催。
明治13年（1880年）	いなごの大群が十勝に発生。日高、胆振、石狩にまん延し、農作物大被害。
明治15年（1882年）	開拓使を廃し函館、札幌、根室の3県を置く。〈**耕地2万ha、農家戸数1万5,000戸**〉
明治16年（1883年）	依田勉三らの晩成社移民13戸、十勝帯広に入植。
明治18年（1885年）	山形県からのはっか種根を上川郡で試作。〈**はっか栽培の起源**〉札幌県殖民地の選定概積法を定める。
明治19年（1886年）	3県1局を廃し、北海道庁を置く。
明治23年（1890年）	ホルスタイン種を導入する。
明治25年（1892年）	石狩の金子清一郎、ノミ取り粉として除虫菊を栽培する。〈除虫菊栽培の起源〉
明治26年（1893年）	稲作試験場を北海道種畜場内に開設。
明治29年（1896年）	角田村水利土功組合設立。〈**北海道最初の土功組合**〉
明治33年（1900年）	農業生産額が水産業を抜き首位となる。
明治40年（1907年）	札幌農学校、東北帝国大学農科大学となる。
明治41年（1908年）	釧路大楽毛で牛馬のセリ市開く。
明治42年（1909年）	第1期拓殖15カ年計画樹立。〈**耕地51万7,989ha、農家戸数14万7,420戸**〉

大正時代

大正2年（1913年）	大凶作となり官民有志凶作救済会を組織。
大正4年（1915年）	上川、空知、河西管内に大水害が発生。
大正7年（1918年）	岩内町に下田アスパラガス製造所設立。〈**農産物缶詰の起源**〉札幌農科大学、東北帝国大学から分離して北海道帝国大学となる。
大正9年（1920年）	北海道産米100万石祝賀会を札幌にて開催。〈産米119万107石〉
大正12年（1923年）	北海道にデンマークとドイツの農家を招き、実際に営農してもらい農業経営の参考とする。

昭和時代

昭和2年（1927年）	第2次拓殖20カ年計画樹立。
昭和7年（1932年）	北海道冷水害凶作。〈産米8万1,000石〉冷害地方における農業経営の改善および指導方針を定める。
昭和8年（1933年）	北海道産米300万石の新記録をつくる。〈産米321万7,252石〉
昭和17年（1942年）	食糧管理法制定。
昭和20年（1945年）	緊急開拓計画始まる。
昭和21年（1946年）	自作農創設特別措置法公布。道内農地改革始まる。
昭和24年（1949年）	干害、被害額24億円に達する。農業（生活）改良普及員の設置。
昭和27年（1952年）	北海道総合開発第1期5カ年実施計画樹立。
昭和28年（1953年）	冷水害による被害甚大、被害額240億円に達する。
昭和29年（1954年）	冷害および台風による農作物の被害甚大で、被害額は391億円に達する。
昭和31年（1956年）	全道的に大冷害。被害額396億円に達し、各府県はもとより、諸外国からも救援の手が差し伸べられる。
昭和36年（1961年）	北海道産米高、新潟県を上回る。収穫量日本一を初めて記録。〈85万4,500t〉
昭和38年（1963年）	第2期北海道総合開発計画スタート。
昭和39年（1964年）	全道的に冷害、被害総額573億円。
昭和40年（1965年）	乳牛30万頭、牛乳300万石突破。高度成長経済政策の下で離農が相次ぎ、農家戸数20万戸を割る。
昭和41年（1966年）	加工原料乳の不足払い制度実施。全道にわたって冷害、被害総額611億円。第1次酪農近代化計画策定。
昭和42年（1967年）	大豊作で北海道産米100万tを突破。
昭和43年（1968年）	豊作により全国産米1,440万t（道産米122万t）を記録。国内産米過剰となる。
昭和44年（1969年）	全道的に低温と降霜の被害。水稲収穫量93万3,800tと前年を下回る。
昭和45年（1970年）	全道的に米が生産過剰となり生産調整対策を実施。
昭和46年（1971年）	第3期北海道総合開発計画、第2次酪農近代化計画策定。全道で冷害の被害総額772億円。
昭和47年（1972年）	道産米の10a当たり収量初めて500kg突破。北海道地域別農業指標策定。
昭和48年（1973年）	根室地域の新酪農村建設に着手。
昭和49年（1974年）	水稲が3年連続の大豊作。
昭和50年（1975年）	乳牛60万頭突破。
昭和51年（1976年）	水稲を中心に冷害。被害総額923億円。第3次酪農近代化計画策定。
昭和52年（1977年）	有珠山噴火。胆振、後志支庁管内で農作物被害。

昭和53年（1978年）	米の過剰基調が再び強まり、10年間にわたる水田利用再編対策が開始される。北海道発展計画スタート。
昭和54年（1979年）	畑作物・園芸施設共済制度発足。牛乳や乳製品の需給緩和により生乳の計画生産実施。
昭和55年（1980年）	北海道地域別農業経営指標策定。水稲・豆類を中心に冷害。被害総額863億円。
昭和56年（1981年）	第4次酪農近代化計画策定。冷災害により農作物が被害。被害総額1,315億円。
昭和57年（1982年）	3年ぶりの大豊作。てん菜、馬鈴しょ、小麦の生産量が史上最高。
昭和58年（1983年）	北海道農業の発展方策策定。低温と日照不足などにより農作物に被害、被害総額1,531億円。
昭和59年（1984年）	水稲の10a当たり収量、史上最高の551kgを記録。生産者団体、畑作物作付指標を策定。
昭和60年（1985年）	生乳生産が再び過剰となり約8万tの余乳発生。
昭和61年（1986年）	生乳の需給緩和を改善するため初めて減産型計画生産を実施。てん菜の糖分取引開始。道立植物遺伝資源センター設置。
昭和62年（1987年）	北海道新長期総合計画策定。米価の31年ぶりの引き下げをはじめ、農産物の生産者価格は全て引き下げ。新たな水田農業の確立を目指し、6年間にわたる水田農業確立対策開始。
昭和63年（1988年）	GATT裁定受諾。でん粉の自由化は見送られたもののコーンスターチとの抱き合わせ比率が改定。

平成時代

平成元年（1989年）	地域農業のガイドポスト策定。
平成3年（1991年）	牛肉の輸入自由化。**クリーン農業の推進スタート。**
平成4年（1992年）	農林水産省「新しい食料・農業・農村政策の方向」（新政策）を公表。
平成5年（1993年）	記録的な冷夏により戦後最大の冷害。被害総額1,974億円。7年越しのGATT・ウルグアイ・ラウンド農業交渉が合意。水田営農活性化対策がスタート。北海道の転作率49.8%から38.8%に大幅緩和。
平成6年（1994年）	「北海道農業・農村のめざす姿」策定。
平成7年（1995年）	「WTO（世界貿易機関）」や「（社）北海道農業担い手育成センター」が発足。食糧管理法が廃止され、新食糧法が施行。
平成8年（1996年）	北海道立花・野菜技術センターがオープン。O-157問題が発生。
平成9年（1997年）	「**北海道農業・農村振興条例**」制定。3年連続豊作で自主流通米価格低迷。「新たな米政策大綱」策定。「ほしのゆめ」デビュー。
平成10年（1998年）	道「農業農村の多面的機能評価調査報告書」公表。米の関税措置切り替え決定。
平成11年（1999年）	農水省「新たな酪農・乳業対策大綱」公表。「食料・農業・農村基本法」や「家畜排せつ物の管理適正化及び利用の促進に関する法律」など環境3法を制定。
平成12年（2000年）	乳業の食中毒事件。北海道で初、日本で92年ぶりに口蹄疫発生。有珠山が23年ぶりに噴火。JAS法改正で有機農産物に認証制度導入、道と農業団体がクリーン農産物表示制度を開始。中山間地域直接支払制度を実施。
平成13年（2001年）	第2期「北海道農業・農村振興推進計画」公表。大豆、てん菜、加工原料乳が価格支持制度から市場原理を導入した新制度へ。改正農地法施行。国内初のBSE（牛海綿状脳症）発生。
平成14年（2002年）	農水省「『食』と『農』の再生プラン」公表。BSE対策特

平成15年（2003年）	別措置法施行。道「道産食品『安全・安心フードシステム』推進方針」策定。国「米政策改革大綱」決定。内閣府に食品安全委員会発足。食糧庁を廃止し消費・安全局設置。台風10号、十勝沖地震により日高、十勝を中心に大被害。
平成16年（2004年）	道「北海道農業・農村ビジョン21」策定し、「愛食の日」（毎月第3土・日曜日）を制定。米の新品種「ななつぼし」本格デビュー。
平成17年（2005年）	道「北海道食の安全・安心条例」と「北海道遺伝子組換え作物の栽培等による交雑等の防止に関する条例」を公布。国「経営所得安定対策等大綱」公表。
平成18年（2006年）	需給不均衡により生乳892tを廃棄。国は「経営所得安定対策等実施要綱」決定。
平成19年（2007年）	品目横断的経営安定対策や農地、水、環境保全向上対策スタート。
平成20年（2008年）	輸入麦高騰で道産小麦に需要集中、高値落札。
平成21年（2009年）	民主党政権の誕生で戸別所得補償制度導入へ。米の新品種「ゆめぴりか」本格デビュー。農地制度改正で耕作者主義から転換、企業参入に道。
平成22年（2010年）	戸別所得補償モデル対策が米でスタート。
平成23年（2011年）	東日本大震災発生。政府、TPP交渉参加に向けた関係国との協議入りを表明。「我が国の食と農林漁業の再生のための基本方針・行動計画」策定。
平成24年（2012年）	空知・石狩を中心に記録的豪雪、5,000棟以上のビニールハウスに被害。てん菜が記録的な低糖分、作付面積も6万ha割れまで減少。
平成25年（2013年）	国際獣疫事務局の年次総会で日本がBSE清浄国に復帰。検査対象月齢見直しで全頭検査が廃止に。安倍首相がTPP交渉参加を表明し、第18回交渉会合から「12カ国目」の交渉参加国として交渉入り。
平成26年（2014年）	日豪EPA交渉大筋合意、輸入牛肉関税の段階的引き下げと数量セーフガード設定が盛り込まれる。国は「農林水産業・地域の活力創造プラン」改訂。農協、農業委員会改革、農業生産法人要件の見直しへ。上川管内を中心に、大雨による1,900haを超える冠水被害発生。北海道米、作況指数107で4年連続豊作に。
平成27年（2015年）	JA全中が農協改革案受け入れ。新たな食料、農業、農村基本計画の食料自給率はカロリーベースで「45%」と設定。農協法改正案が成立。アメリカ・アトランタの閣僚会合でTPP交渉が大筋合意となる。
平成28年（2016年）	8月下旬に3台風が北海道上陸、1台風が接近。十勝、オホーツク、日高、上川などの農地や農作物に甚大な被害発生。内閣府の諮問会議の規制改革推進会議が、加工原料乳生産者補給金の拡大と全量無条件委託の廃止を提言。
平成29年（2017年）	清水町で高病原性鳥インフルエンザが初発生、28万羽を殺処分。「農業競争力強化支援法」など、関連8法案成立。「主要農作物種子法」廃止。改正畜安法が成立。日EU・EPA交渉が大筋合意。
平成30年（2018年）	2月大雪、7月豪雨、9月台風21号と気象災害による農業被害相次ぐ。最大震度7の「北海道胆振東部地震」では、全道で電源が喪失しブラックアウトに。搾乳や生乳の冷却ができず酪農家に大きなダメージを与える。日米2国間による新たな貿易協定交渉開始。
平成31年 令和元年（2019年）	日EU・EPA発効。「北海道主要農作物等の種子生産に関する条例」が成立。新たな在留資格「特定技能」が創設され、農業分野も対象に。日米貿易協定が最終合意。政府は農林水産物の生産減少額は最大1,100億円と試算、TPP等関連政策大綱改訂へ。改正農協法に基づき中央会が組織変更、JA道中央会が連合会に。

北海道のおいしさを、まっすぐ。
よつ葉

北海道
バターミルク
ヨーグルト

おいしく、
やさしく、
プレミアム。

New!

よつ葉の新ヨーグルト、
10月1日発売。

わたしの
くらしに
プラス志向。

New!

よつ葉
のむヨーグルト➕
ミルクプロテイン

よつ葉乳業株式会社
http://www.yotsuba.co.jp/

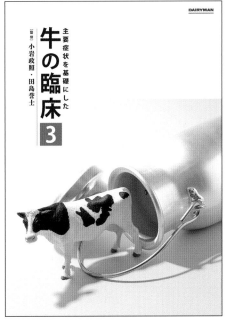